*Chères lectrices,*

La fête des mères arrive, et, comme chaque année, par un beau dimanche ensoleillé, vous allez être choyées et fêtées, vous les jeunes mamans pleines d'énergie, et vous les charmantes mamies, généreuses et patientes.

Les bambins turbulents, pour l'occasion, seront sages comme des images, les grands redeviendront câlins, et vous serez récompensées, par des sourires et des baisers, de tout l'amour que vous leur donnez. Car il n'y a rien de plus tendre et de plus sécurisant, qu'on soit petit ou grand, que les bras d'une mère, refuge d'éternelle douceur, havre de paix et de réconfort...

De l'amour maternel, Evie Vaughn en a à revendre et on pourrait bien croire, en lisant son histoire, qu'elle n'a jamais assez d'enfants autour d'elle ! Non contente d'élever seule ses trois garçons, elle exerce avec dynamisme son métier de professeur d'éducation physique, entraîne une équipe de base-ball et ouvre tout grands son cœur et son foyer à une autre enfant, incomprise et malheureuse, celle-là... C'est ce roman, parmi un choix d'histoires parfois douloureuses, mais toujours pleines d'optimisme et d'émotion, que nous avons plus particulièrement choisi de vous offrir pour l'occasion. Et son titre — *La clé du bonheur* — résume à lui seul tous les fous rires, les tendres bagarres et les réconciliations cachées entre ses pages (n° 774).

Bonne lecture à toutes !

*La responsable de collection*

# Les fiançailles rompues

# JOAN KILBY

# Les fiançailles rompues

AMOURS D'AUJOURD'HUI

*Cet ouvrage a été publié en langue anglaise
sous le titre :*
THE SECOND PROMISE

*Traduction française de*
ISABELLE GAMOT


HARLEQUIN ®
est une marque déposée du Groupe Harlequin
et Amours d'Aujourd'hui ®
est une marque déposée d'Harlequin S.A.


*Illustration de couverture*
*Homme :* © GETTY IMAGES / ROB LANG


*Toute représentation ou reproduction, par quelque procédé que ce soit, constitue-*
*rait une contrefaçon sanctionnée par les articles 425 et suivants du Code pénal.*
© 2001. Joan Kilby. © 2002. Traduction française : Harlequin S.A.
83-85, boulevard Vincent-Auriol, 75013 Paris — Tél. : 01 42 16 63 63
Service Lectrices — Tél : 01 45 82 47 47
ISBN 2-280-07779-5 — ISSN 1264-0409

# Prologue

Melbourne, le matin de Noël.

Will, qui tenait sa petite nièce de six mois sur ses genoux, la tourna de façon à ce qu'elle puisse regarder son frère et sa sœur déballer leurs présents. Caelyn blottit son corps de bébé tendre et chaud dans le creux de son bras et serra sa minuscule menotte autour de son index.

— L'année prochaine, tu ouvriras tes cadeaux toute seule, lui dit-il tout en déchirant l'emballage d'un paquet mou.

Un lion en peluche apparut qu'il fit rugir doucement en enfouissant sa douce crinière orange dans le cou de l'enfant jusqu'à ce qu'elle gigote de plaisir.

— Souris à ton oncle Will, Caelyn.

Julie, la sœur de Will, s'était approchée, armée de son appareil photo. Lorsqu'elle eut pris le cliché, elle s'assit sur ses talons.

— Quand vas-tu te décider à fonder un foyer, Will ? Tu ne comptes pas imiter papa et attendre d'être un vieil homme pour avoir des enfants, n'est-ce pas ?

Certes, Will n'avait pas l'intention de suivre l'exemple de leur père qui avait cinquante-cinq ans à sa naissance. Il marchait déjà à l'aide d'une canne quand son fils avait commencé à jouer au cricket et avait été emporté par une crise cardiaque avant son dixième anniversaire.

Will songea à sa grande maison sur la baie qui n'avait jamais résonné de joyeux rires d'enfants et un déchirant sentiment de vide l'étreignit. Il aurait trente-six ans le mois suivant, le temps pressait.

— Bientôt, dit-il d'un ton convaincu. Je fonderai ma propre famille très bientôt.

— Il faut commencer par choisir une épouse, le taquina son beau-frère, Mike, aussitôt distrait par son fils aîné qui le menaçait d'un pistolet à eau. Hé ! Pas dans la maison, garnement, cria-t-il en se lançant à sa poursuite.

Will les suivit des yeux, tandis qu'ils couraient vers le jardin et chahutaient, s'arrosant tour à tour et riant à gorge déployée sous le soleil.

— Tu n'auras aucune difficulté à trouver une femme, poursuivit Julie qui avait posé son appareil photo et lui tendait un verre.

— Merci, sœurette.

Depuis que Maree et lui avaient rompu, quatre ans auparavant, il n'avait entretenu aucune relation sérieuse. Les femmes qui fréquentaient le club de surf étaient trop jeunes, trop insouciantes, et celles qui avaient son âge étaient déjà mariées ou installées dans leurs vies de célibataires, même lorsqu'elles rêvaient encore au grand amour.

Il avait recherché, lui aussi, l'amour de sa vie et cru, un temps, l'avoir trouvé en Maree, mais les années qui s'étaient écoulées depuis leur séparation avaient largement entamé son espoir de vivre heureux un jour avec une compagne. Cependant, son désir de fonder une famille était resté intact. L'épineuse question du mariage se résumait, en fait, à la difficulté de trouver une épouse qui désirerait des enfants autant que lui. Mais il savait

8

qu'en y travaillant rationnellement, il réussirait à mener à bien son projet.

Après tout, ne maîtrisait-il pas parfaitement sa vie par ailleurs ?

1.

Maeve Arden considérait qu'une part essentielle de son travail de paysagiste consistait à observer attentivement les plus infimes détails chez ses clients. Aussi remarqua-t-elle d'emblée les yeux de Will Beaumont : la profondeur de son regard bleu cobalt dénotait un esprit logique, probablement critique, où perçait cependant une pointe d'humour.

— Bonjour, je suis Maeve Arden, dit-elle en se présentant à Will qui venait d'ouvrir sa porte.

— Ah, la fille d'Art Hodgins. Votre père m'a beaucoup parlé de vous.

— Art parle trop, répliqua-t-elle gaiement. Mais pour rien au monde je ne voudrais qu'il soit différent.

Son père l'avait fréquemment entretenue de toutes les qualités de son patron, mais il avait omis de mentionner la séduction qui émanait de sa personne. Will portait une chemise hawaïenne sur un pantalon de toile grège fraîchement repassé ; il avait les pieds nus et ses cheveux bruns étaient mouillés. L'image ne cadrait guère avec l'idée que Maeve se faisait d'un chef d'entreprise, et c'est peut-être justement ce qui lui plut en lui. Le personnage n'en serait que plus intéressant, et le travail également.

— Belle chemise, dit-elle.

Baissant le nez vers les motifs floraux bleu et vert fluorescent, il esquissa un sourire et commenta d'un ton uni :

— Je la porte pour faire rager mon comptable.

Maeve qui, par commodité, était vêtue d'un pantalon de gabardine kaki pourvu de larges poches et d'une chemise ouverte sur un débardeur noir, réprima un petit rire. Elle ôta son chapeau afin de s'en éventer, libérant ses longs cheveux noirs. Il n'était encore que 7 h 30 en ce matin de janvier, mais la chaleur était déjà caniculaire.

— Allons faire le tour du jardin, proposa Will en enfilant une paire de sandales de cuir qui se trouvaient à côté du paillasson.

— J'ai déjà pu me rendre compte de l'ampleur de la tâche, dit-elle en lui emboîtant le pas.

Le jardin de devant était envahi de mauvaises herbes et de buissons laissés à l'abandon, et les vasques de pierre qui encadraient l'escalier débordaient de branchages morts. La maison de style Arts déco, peinte dans des tons crème et or, était magnifique mais le jardin était un véritable gâchis.

Ils suivirent une allée qui faisait le tour des garages, passait devant un petit bungalow indépendant, avant de déboucher sur l'arrière de la propriété. Le terrain, entièrement clos de hauts murs doublés de haies feuillues, s'étageait en terrasses, épousant une douce déclivité, et offrait une vue époustouflante sur la baie de Port Philip, et Melbourne dans le lointain. Maeve fit une pause et ouvrit son bloc-notes pour y tracer une première esquisse du lieu.

— J'ai cru comprendre que je comptais parmi mes clients un couple de vos amis, Alex et Ginger White, remarqua-t-elle en notant l'emplacement d'un figuier « Baie de Monterey » qui dominait l'extrémité sud du terrain.

— Ils ne tarissent pas d'éloges à votre sujet, dit-il en

jetant un œil sur son dessin par-dessus son épaule, et parlent de vous comme d'une véritable magicienne. Et je dois dire que j'ai été impressionné par le résultat de votre travail chez eux.

— Merci.

Si Alex et Ginger parlaient d'elle en ces termes flatteurs, c'est parce qu'elle les avait observés dans les moindres détails de leur vie quotidienne, avait été attentive au choix de leurs vêtements, de leur mobilier, de leurs voitures. Elle leur avait posé mille questions à propos de leur style de vie, du jardin dont ils rêvaient. Puis, elle avait mis en œuvre tout son savoir-faire pour créer un espace qui réponde exactement à leur désir et à leur personnalité.

— Cet endroit a un potentiel fantastique, reprit-elle en tournant la page de son bloc. Comment imaginez-vous votre jardin ?

Will se rembrunit inexplicablement et répondit d'un ton sec :

— L'essentiel est qu'il ne demande pas beaucoup d'entretien. Quelques fleurs peut-être...

— Recevez-vous parfois des amis, des associés ? poursuivit-elle.

— Bien sûr. J'ai un barbecue à côté du patio. Et puis, il y a la piscine, ajouta-t-il en lui faisant signe de le suivre.

Ils descendirent les quelques marches qui menaient à la seconde terrasse où les reflets bleu turquoise de la piscine miroitaient dans la lumière vive de l'été. Bordé de roses et d'hibiscus, le bassin étirait sa mosaïque azur sur une douzaine de mètres. Remarquant des traces d'humidité sur le dallage couleur sable qui l'entourait, Maeve jeta un coup d'œil aux cheveux de Will qui commençaient à sécher, laissant paraître par endroits des mèches décolo-

13

rées par le soleil. Il passait probablement beaucoup de temps dans l'eau. Ou sur l'eau.

— Quelle belle piscine, dit-elle en s'approchant d'un buisson de roses pour en examiner les feuilles brun rouge. Dommage pour les roses.

— Devrez-vous les enlever ? interrogea-t-il d'un voix où perçait une pointe de regret.

— Qu'aimez-vous particulièrement en elles ?

— Leur parfum, je suppose, dit-il après un instant d'hésitation.

— Je pourrais les remplacer par des gardénias, ils sentent divinement bon.

Sans transition, elle lui mit dans la main l'extrémité d'un mètre qu'elle déroula posément en s'éloignant de lui, puis revint en notant des mesures.

— Les fleurs blanches sont magnifiques au clair de lune. Vous baignez-vous la nuit ?

— Oui. Quand il fait assez chaud, répondit-il en la regardant avec un intérêt amusé. Et vous ?

— Lorsque l'occasion se présente, dit-elle en tirant un coup sec sur le mètre qui se rembobina avec un sifflement.

*Ces yeux !* Relevant le bord de son chapeau, elle se détourna pour observer la maison, imaginant la vue qu'on avait depuis la baie, avec ses barres de stuc crème, faisant pendant à la bande de sable blond au bas de la falaise, et ses vastes surfaces vitrées qui reflétaient le bleu du ciel. Elle se la représentait déjà dans un écrin de végétation luxuriante.

— C'est vraiment une superbe maison, conclut-elle. Un peu démesurée pour une personne seule, cependant. A moins que vous ne soyez marié ?

Immédiatement, le regard de Will se durcit.

— Je ne vois pas en quoi cela peut vous intéresser, dit-il d'un ton sec.

14

— Si je dois m'occuper de votre jardin, j'ai besoin d'en savoir un peu plus à votre sujet. Je veux faire de cet espace un lieu qui vous ressemble.

— Mon intention n'est pas de faire de ce jardin une œuvre d'art.

— Etes-vous marié? insista-t-elle le plus calmement du monde.

— Non.

— Fiancé?

— Non plus, maugréa-t-il, le sourcil froncé.

— Une petite amie, peut-être?

— Tout cela n'a vraiment rien à voir avec ce qui nous occupe, dit-il d'une voix exaspérée.

Elle attendit, silencieuse. Certaines personnes étaient si bavardes qu'elle éprouvait des difficultés à cerner leur vraie personnalité; d'autres ne se livraient qu'à mots comptés, parfois au bout de plusieurs rencontres seulement. Par ses questions, elle cherchait à entrevoir le vrai Will Beaumont, à mettre à jour cette part secrète de lui-même qu'elle pourrait ensuite retranscrire dans un paysage qui lui procurerait calme et sérénité. Après les événements qui avaient bouleversé sa propre existence, Maeve était très attachée à l'idée de paix intérieure.

Il haussa les épaules, l'air résigné.

— Bon, d'accord, dit-il. Depuis quelque temps, je songe à me marier. Je ne sais pas comment cette idée m'est venue. Je suppose que le tic-tac de mon horloge biologique s'est fait plus insistant.

— La deuxième terrasse conviendrait tout à fait à une cérémonie de mariage, dit-elle enthousiaste, se représentant aussitôt d'élégants invités, une coupe de champagne à la main, sous un dais de toile blanche. La mariée et vous-même vous tiendriez ici, et les invités...

Il la coupa immédiatement :

— Etes-vous organisatrice de mariages ou paysagiste ?

— Excusez-moi, bafouilla-t-elle en se sentant rougir.

Au moins, elle avait réussi à soulever un coin du voile et mis le doigt sur un point sensible : l'amour, les femmes et le mariage. Aussi se félicitait-elle de sa persévérance en suivant le muret bas qui courait entre les deux terrasses et dont elle sentait sur ses mollets la chaleur restituée par les pierres. Les théiers embaumaient l'air marin et le chant des grillons montait de la terre sèche. Méthodiquement, elle se mit en devoir de répertorier les plantes et les arbustes qui allaient avoir besoin d'être élagués ou traités, ceux qu'il faudrait supprimer et ceux que l'on pourrait conserver. Will la suivait sans mot dire.

— C'est vraiment regrettable d'avoir laissé cet endroit à l'abandon, dit-elle comme ils arrivaient devant un buisson de rhododendrons retourné à l'état sauvage. Une fois que les mauvaises herbes ont tout envahi, il est difficile de s'en débarrasser.

— J'ai été très pris par mon travail ces derniers temps, dit-il en cassant machinalement une feuille avant de la rouler entre ses doigts.

Maeve lui prit la feuille des mains et l'examina attentivement, puis elle secoua la tête. De toute évidence, la plante était infestée d'araignées rouges.

— C'est grave ? s'enquit-il, alerté par sa mine inquiète.

— Rien qui ne puisse être traité, le rassura-t-elle tout en songeant que les deux fines lignes qu'elle venait de voir se dessiner aux coins de ses lèvres pourraient bien, en d'autres circonstances, se creuser en fossettes.

Contournant le bungalow, elle inspecta un petit eucalyptus qui avait jailli au pied de la construction de brique ; ses racines avaient fissuré la dalle de ciment.

— Cet arbre devra être enlevé. Est-ce que vous utilisez ce bungalow ?

16

— C'est mon atelier, répondit-il en ouvrant la porte.

Maeve le suivit à l'intérieur. Le long des murs couraient de larges étagères, sur lesquelles s'accumulaient fils électriques, batteries, voltmètres et quantité de petites choses qu'elle eût été bien en peine d'identifier.

— Vous n'êtes pas saturé d'électronique après votre journée de travail ? demanda-t-elle, étonnée.

— J'aime bricoler.

En sortant, elle remarqua, appuyée contre le mur derrière la porte, une planche de surf jaune vif sur laquelle séchait une combinaison de plongée. Elle imagina aussitôt le corps musclé de Will en équilibre sur la crête d'une vague, auréolé d'écume.

— Vous en faites souvent ? demanda-t-elle.

Il caressa la planche parfaitement polie et répondit d'un air rêveur :

— J'ai failli devenir professionnel quand j'étais plus jeune,

— Vraiment ? Et qu'est-ce qui vous a décidé à choisir une autre voie ?

— J'ai quitté l'école à seize ans. Je travaillais la nuit dans un magasin et je passais mes journées à la plage. Je restais assis des heures à guetter la vague, celle qui se forme au loin, qui se creuse juste avant la barre et s'enroule irréprochablement. Et pendant tout ce temps, je réfléchissais.

— A votre avenir, à vos espoirs ?

— Non. A des choses pratiques, matérielles. Au fonctionnement des choses : le thermostat d'un système de climatisation ou les circuits électroniques d'une automobile. J'inventais des dispositifs que je pourrais construire moi-même. Mais mes connaissances étaient trop limitées pour que j'aille plus loin... C'est pour cela que je suis retourné à l'école, puis à l'université.

— C'est formidable de pouvoir faire quelque chose qu'on aime, dit-elle, admirative devant tant de détermination.

— Oui. J'apprécie moins, en revanche, le monde des affaires. Beaucoup trop de réunions et de maux de tête pour pas grand-chose. Mais je vous ennuie avec mes histoires...

— Pas du tout. Tout ce qui vous touche m'intéresse. Je veux dire...

Elle s'interrompit, les joues rouges, se rendant compte qu'il aurait pu mal interpréter ses paroles.

— Je vous en prie, laissez-moi croire à un compliment, dit-il avec un large sourire.

Elle remarqua la fossette qui venait de se creuser sur sa joue droite. Il avait un superbe sourire, chaleureux et malicieux à la fois. Elle sentit naître en elle un sentiment de jalousie féroce envers celle qui serait l'élue de son cœur.

Elle se dirigea vers le vieux figuier aux feuilles sombres et luisantes, véritable oasis de fraîcheur dans ce coin du jardin et, prenant appui sur une grosse racine, elle étendit le bras et caressa une des branches.

— Ce serait l'endroit idéal pour accrocher une balançoire, dit-elle en ajoutant une note sur son calepin.

— Ou pour faire une cabane, murmura Will en écho.

Il leva la tête et elle ne put voir l'expression de son visage, mais elle avait perçu une note de nostalgie dans sa voix.

Il lui arrivait de ressentir chez certains clients un besoin profond d'autre chose que d'un joli jardin dans lequel se détendre ou recevoir leurs amis. Les espaces qu'elle créait alors pour eux requéraient toutes ses facultés d'intuition et d'imagination, mais ils étaient aussi ceux qui lui procuraient la plus grande satisfaction.

Will Beaumont, directeur et propriétaire d'une société

de composants électroniques, ne lui avait pas semblé, à priori, appartenir à cette catégorie. Mais en croisant son regard pensif, elle se dit que, contrairement aux apparences, il pourrait bien être de ceux-là.

— Avez-vous l'intention d'avoir des enfants? demanda-t-elle, en essayant d'oublier le pincement au cœur qu'elle ressentait lorsqu'on abordait ce sujet.

— Bien sûr. J'adore les enfants, ajouta-t-il spontanément.

Maeve s'éloigna de quelques pas. Sa réponse enjouée, pour innocente qu'elle fût, lui était terriblement douloureuse. Et, immanquablement, il lui fut demandé :  — Et vous? Vous en avez?

Elle secoua la tête en silence. Elle ne pouvait pas répondre, ni affronter les questions qui allaient suivre et qu'elle évitait depuis cinq ans.

Ils avaient fait le tour de la propriété et étaient revenus à leur point de départ, devant l'allée bitumée qui menait aux garages.

— Si vous projetez d'avoir des enfants, il faudra clore le jardin de derrière.

— Ce serait prudent, en effet, acquiesça-t-il en l'observant. Vous avez l'air un peu pâle. Voulez-vous un verre d'eau?

— Je vais bien. Vraiment, dit-elle en rangeant son bloc-notes dans une pochette de plastique dont elle tira une carte de visite qu'elle lui tendit. Je travaille souvent avec cet artisan; c'est un spécialiste du fer forgé. Puisqu'un mariage entre dans vos projets, nous pourrions faire quelque chose de particulier en vue de cette occasion : un tourniquet de Cupidon. Je sais que c'est un peu démodé, mais tellement romantique.

— Un tourniquet de Cupidon? Je n'ai jamais entendu parler de ça. Il faudra me montrer comment l'utiliser.

19

— Je laisse ce soin à la future Mme Beaumont.

— La place est libre, dit-il, l'œil espiègle. J'examine toutes les candidatures.

Maeve préféra changer de sujet. Depuis longtemps, flirter avait pour elle un goût d'amertume.

— Souhaitez-vous que je dessine un projet et établisse un devis pour le réaménagement de votre jardin ?

Instantanément, l'étincelle qui avait brillé dans le regard de Will s'évanouit, et c'est d'un ton professionnel qu'il poursuivit, en se dirigeant vers le patio :

— Suivez-moi. Je vais vous donner ma carte. Vous aurez ainsi un numéro auquel me joindre pendant la journée.

Un store vert tilleul rayé et des bougainvillées ombrageaient agréablement le patio meublé d'une table en teck et de chaises assorties. Maeve, promenant sur le tout un œil très professionnel, se dit qu'il ne manquait que quelques plantes en pots, et peut-être une fougère dans une suspension accrochée au mur, pour que l'endroit fût encore plus accueillant.

Elle traversa à sa suite la salle de séjour pavée de tomettes, qui jouxtait une cuisine à l'américaine, jusqu'au bureau. Un porte-documents était ouvert dans un fauteuil et la grande table de travail était jonchée de papiers. Elle eut à peine le temps d'apercevoir un document comptable à l'en-tête d'Aussie Electronique que déjà il avait rassemblé les feuillets épars et les rangeait dans la serviette.

— Top secret ? commenta-t-elle en s'amusant de son soudain froncement de sourcils.

— Les affaires, fit-il, laconique, en fermant la serrure dont il brouilla le code d'un geste vif. Voici mon numéro professionnel, ainsi que celui de mon portable, ajouta-t-il en lui tendant une carte de visite.

Elle glissa la carte dans une de ses poches de pantalon et lui donna la sienne en retour.

— « Maeve Arden », lut-il. Vous ne portez pas le nom d'Art. Vous êtes mariée sans doute ?

— Je l'ai été. Nous avons divorcé il y a cinq ans.

Graham et elle s'étaient séparés dans la tristesse plus que dans la rancœur. A cette époque, elle était bien trop accablée par un autre chagrin pour s'en préoccuper.

— Mon père sera content d'apprendre que je travaille pour vous. Enfin, si vous décidez de m'engager.

D'ores et déjà, elle tenait à signer ce contrat. Le jardin de Will offrait de rares possibilités. Elle le sentait habité de rêves inassouvis qui éveillaient ses facultés d'intuition et cette imagination dont elle avait appris à ne pas chercher l'origine de peur d'en tarir le flot.

— En d'autres circonstances, j'aurais fait faire plusieurs devis, mais je suis trop pris par mon travail en ce moment. Donc, si votre proposition me plaît, vous aurez le chantier.

— Vous ne le regretterez pas.

— Je suis sûr que non, à moins que vous ne soyez pas la digne fille de votre père. Art est le meilleur contremaître que j'ai jamais eu, dit-il en retournant vers le perron. Je suis impatient de voir votre projet. Quand pensez-vous me le montrer ?

En cette saison, elle travaillait d'arrache-pied, mais, pour un homme que son père admirait tant, elle se débrouillerait.

— Je dessinerai un pré-projet dans les prochains jours. Ensuite, je reviendrai afin de revoir certains détails et vous poser quelques questions.

— Parfait. Que diriez-vous de jeudi, vers 6 heures ?

Elle inscrivit le rendez-vous et glissa le bloc sous son bras. Elle avait pris pas mal de notes aujourd'hui, mais le plus important était imprimé dans sa mémoire. Il ne s'agissait ni de cotes, ni de dénivelés, mais plutôt des attentes secrètes d'un homme. Cet espoir qu'elle avait deviné derrière l'inflexion particulière de sa voix lorsqu'il avait évoqué une cabane dans les arbres.

— A jeudi, lança-t-elle par la vitre dès qu'elle eut grimpé dans sa camionnette.

Will, qui s'était approché, s'appuya contre le toit du véhicule et, penché vers elle, suggéra négligemment :

— On pourrait aller manger un morceau à Sorrento ensuite. Vous connaissez le restaurant de fruits de mer sur la route côtière ?

Sans doute aurait-elle pris plaisir à sortir avec Will Beaumont, mais elle ne voulait pas lui donner de faux espoirs. Tentée malgré elle, Maeve était en train de chercher une excuse quand elle perçut une sonnerie qui semblait provenir de l'intérieur de la maison.

— N'est-ce pas chez nous ?

— On dirait, fit-il en se redressant.

— Eh bien, à bientôt, conclut-elle en démarrant la voiture, consciente d'avoir été sauvée par le gong.

Dans le rétroviseur, elle le vit secouer la tête, un sourire perplexe aux lèvres, apparemment peu pressé de répondre au téléphone, et se surprit à rire. Ce travail promettait d'être intéressant. Et stimulant.

La principale gageure serait peut-être de dominer l'attirance qu'elle sentait naître en elle pour M. Beaumont.

# 2.

Une demi-heure plus tard, parvenue à Mount Eliza, le petit village dans l'intérieur des terres où elle habitait avec son père, Maeve se gara sous le vieil eucalyptus et se dirigea vers la maison. La porte était maintenue ouverte dans le vain espoir de laisser passer un courant d'air et les chaussures de chantier de son père étaient posées sur le paillasson.

Ainsi Art était rentré du travail. Elle en fut heureuse car elle avait à lui parler. Il était à présent complètement remis de la crise cardiaque qui l'avait terrassé six mois plus tôt et, bien qu'elle l'aimât beaucoup et s'entendît très bien avec lui, le temps lui semblait venu pour eux deux de retrouver leur indépendance.

Se débarrassant, elle aussi, de ses chaussures, elle entra dans la maison et goûta la relative fraîcheur de l'entrée. « Wandin Cottage » n'avait rien de la splendeur de certaines des demeures dans lesquelles elle travaillait, mais qu'auraient-ils fait, elle ou Art, de ces propriétés luxueuses ? Lui qui avait travaillé de ses mains toute sa vie, et elle qui préférait, de loin, la vie au grand air.

Ayant ramassé la pile de courrier au passage, elle se rendit dans la cuisine à l'arrière de la maison. Art, solidement planté devant la cuisinière, vêtu d'un T-shirt blanc et d'un pantalon de toile marron, avait noué, sans se préoccuper de son apparence, un de ses tabliers roses à volants. Ses cheveux étaient devenus tout blancs après son accident, mais il avait conservé des sourcils noirs et fournis.

Maeve le fit sursauter en l'enlaçant par la taille pour déposer un rapide baiser sur sa joue.

— Encore des hamburgers. Tu sais que tu n'as pas besoin de cuisiner pour moi.

— Tu ne peux pas te contenter de grignoter après une longue journée de travail, grommela-t-il.

Son front habituellement plissé se détendit, et son visage s'éclaira. Il ajouta :

— Je n'aurais jamais cru que je dirais ça un jour, mais j'adore faire la cuisine pour ma fille. Et puis, c'est agréable de ne pas manger seul.

Maeve ressentit un pincement douloureux, mais s'efforça de garder le sourire.

— Il y a quelque chose dont j'aimerais te parler, dit-elle courageusement.

— D'accord, chérie. Au fait, avant que je n'oublie, Tony a appelé. Il voulait savoir si tu avais commandé les dalles pour les Cumming.

— Merci. Je le rappellerai tout à l'heure, dit-elle en sortant une bouteille d'eau minérale du réfrigérateur.

Puis elle s'accouda au comptoir et se mit à trier le courrier, les lettres personnelles d'un côté, les factures de l'autre, laissant tomber les publicités directement dans la poubelle.

— J'ai fait un devis pour ton patron, ce matin.

— Vraiment ? s'exclama-t-il en retournant les steaks dans la poêle.

— Il a une maison magnifique sur la falaise de Sorrento. Le jardin demandera beaucoup de travail, mais il offre de grandes possibilités.

— Après mon licenciement, il a été le seul à accepter d'engager un homme de cinquante ans qui avait eu un accident cardiaque. J'ai une dette envers lui, alors, tu as intérêt à faire du bon boulot, dit Art en feignant de la menacer de sa spatule.

— Bien sûr, papa. Il t'estime beaucoup aussi, tu sais, conclut-elle en regardant la facture de la pépinière et en faisant la grimace.

— Ce qui est certain c'est que Beaumont n'est pas de ces patrons qui sacrifient leurs employés pour des raisons de productivité, poursuivit Art, enthousiaste, en remuant les oignons. Il respecte le travail de ses ouvriers et reconnaît les compétences de chacun.

Maeve l'entendait à peine. Entre deux factures, elle venait de découvrir une petite enveloppe verte qui lui était adressée. Elle avait tout de suite reconnu l'écriture aux larges lettres penchées... Graham.

— ... Et s'il arrive à quelqu'un de faire une bêtise, il ne lui en tient pas rigueur, du moment que le responsable répare les dégâts, continuait Art. Et c'est un homme qui sait se faire comprendre en peu de mots. J'ai toujours eu horreur des gens qui radotent à n'en plus finir.

Maeve était perdue dans les souvenirs de son mariage malheureux. Cette remarque insolite la fit sortir de sa rêverie et elle sourit à son père.

— C'est un homme comme lui qu'il te faudrait, conclut Art, pointant de nouveau la spatule dans sa direction.

— Je ne crois pas. Il cherche à se marier.

— Raison de plus !

— Papa, oublie ça, veux-tu.

Sa vie était peut-être un désert affectif, néanmoins elle avait réussi à retrouver un semblant d'équilibre. Pendant une année entière, après le décès de Kristy, elle avait cru ne jamais retrouver goût à la vie. Personne, hormis son amie Rose, ne savait quel enfer elle avait traversé. Elle ne se sentait pas prête à tenter l'aventure d'un nouveau mariage et encore moins celle d'une nouvelle maternité. Et sans doute ne le serait-elle jamais.

— D'accord, d'accord, bougonna Art. Les steaks sont prêts. Peux-tu t'occuper des petits pains ?

Heureuse de la diversion qui lui permettait de repousser à plus tard la lecture de la lettre de Graham, Maeve s'empressa de couper deux pains ronds et de les poser sous le gril.

— Il y a quelque chose de mystérieux chez Will Beaumont que je ne saurais définir, dit-elle après quelques instants.

— Beaumont est l'homme le plus franc que je connaisse, déclara Art. Je suppose que c'est encore une de tes bizarres intuitions.

— C'est juste une impression. On dirait qu'il lui manque quelque chose. L'amour, peut-être, dit-elle, songeuse, en posant un assortiment de condiments sur la table.

— Lui ? Franchement, je ne crois pas. Tu devrais voir la façon dont les filles de la production le dévisagent lorsqu'il passe à côté d'elles.

— J'admets qu'il est séduisant, mais cela n'a pas grand-chose à voir avec l'amour, rétorqua-t-elle avec brusquerie. Enfin, je peux me tromper. C'est un homme difficile à cerner.

— Il est sous pression ces derniers temps, toujours en réunion avec le comptable. Une rumeur court selon laquelle la compagnie aurait des problèmes financiers.

— Ah oui ? On ne s'en douterait pas à voir sa villa et sa Mercedes ! commenta Maeve.

Puis elle se souvint brusquement des papiers que Will s'était hâté de soustraire à son regard.

26

Art, qui s'était installé à la table, entreprit de garnir copieusement son hamburger : oignons, tomate, laitue, betterave, bacon, le tout nappé de fromage et assaisonné de mayonnaise.

— Et de quoi voulais-tu me parler tout à l'heure ? s'enquit Art avant d'enfourner une énorme bouchée.

Maeve reposa le hamburger, de proportions plus raisonnables, qu'elle s'était préparé et prit une inspiration.

— Est-ce que tu ne songes jamais à avoir un endroit à toi ?

— Mon Dieu, non, répondit-il. L'appartement me faisait l'effet d'une cellule de moine, après la mort de ta mère.

Il était sur le point de porter son verre à ses lèvres quand il suspendit soudain son geste et leva vers elle un regard suspicieux.

— Mais peut-être est-ce toi qui as envie de retrouver ton indépendance ?

Tout à coup, elle se sentit incapable de lui infliger cette nouvelle épreuve.

— Bien sûr que non, s'écria-t-elle en riant. C'est formidable de t'avoir près de moi.

— Qui te préparerait de savoureux hamburgers, hein, si je n'étais pas là ? dit-il timidement.

Le dîner terminé, Art alla dans la véranda. Il alluma son unique cigarette de la journée tandis que Maeve, qui avait posé l'enveloppe verte sur le rebord de la fenêtre, devant l'évier, faisait la vaisselle. Que lui voulait Graham après toutes ces années ? La lettre portait au dos l'adresse de l'expéditeur : elle venait du port de plaisance de Sydney. Il avait donc probablement gardé son bateau.

Une fois la dernière assiette posée dans l'égouttoir, elle balaya et remit de l'ordre dans la cuisine. Puis elle sortit son chéquier de son sac et s'assit pour régler ses factures.

Une fois qu'elle eut terminé, elle n'eut plus aucun prétexte pour repousser le moment d'ouvrir la lettre de Graham. Les doigts tremblants, elle déchira l'enveloppe.

« Chère Maeve, j'ai beaucoup pensé à toi récemment. Je pars pour les îles Fidji à la fin du mois de mars et j'aimerais te revoir avant mon départ. Je serai à Mornington dans les semaines qui viennent. Je te ferai signe à ce moment-là. Graham.

P.S. Te souviens-tu des nuits que nous avons passées sous les étoiles ? »

Elle lâcha la lettre qui glissa par terre. Oui, elle se souvenait... Peut-être même qu'une part d'elle-même l'aimait encore. Ils avaient partagé de bons moments avant la mort de Kristy. De moins bons aussi, mais cela faisait partie du mariage. S'il avait l'intention de faire tout ce chemin pour la voir, sans doute tenait-il encore à elle.

Mais qu'en était-il de ses propres sentiments ?

Lorsque Will arriva chez lui le jeudi soir, la camionnette de Maeve était garée dans l'allée, hayon ouvert. La jeune femme était assise à l'arrière du véhicule, jambes pendantes, une bouteille d'eau dans une main et son chapeau à large bord, avec lequel elle s'éventait, dans l'autre. Elle avait ôté sa chemise et son débardeur court laissait entrevoir son ventre bronzé.

— J'espère que vous ne m'attendez pas depuis trop longtemps, lança-t-il en sortant de la Mercedes. Une chaîne de production s'est arrêtée juste au moment où j'allais partir et je suis resté jusqu'à ce qu'elle redémarre.

— Ça ne fait rien, dit-elle en se levant. J'en ai profité pour tondre la pelouse.

— Belle initiative ! Venez. Vous avez bien mérité une boisson fraîche.

Maeve, laissant ses chaussures pleines de terre à l'entrée, pénétra avec lui dans le hall. Il la vit lever les yeux vers la verrière, puis suivre la courbe de l'escalier qui menait au palier de l'étage où, là aussi, la lumière entrait à flots par des fenêtres rondes. Puis elle contempla le salon auquel des tonalités de crème, de jaune et d'ocre, donnaient une atmosphère chaleureuse.

— J'aime votre maison, déclara-t-elle en se tournant enfin vers lui. Elle est parfaite.

— Merci.

Lui aussi l'aimait. Elle était lumineuse, tout en courbes douces et offrait une vue superbe sur la mer. Après sa séparation d'avec Maree, il avait ressenti le besoin d'un lieu apaisant et gai dans lequel il envisagerait de nouveau l'avenir avec confiance, où il s'épanouirait.

Cependant, comme ils se dirigeaient vers le salon, Maeve corrigea :

— Presque parfaite. Je n'ai pas encore aperçu une seule plante.

— Et vous n'en verrez pas. J'oublie toujours de les arroser, aussi ai-je renoncé à en avoir dans la maison. Que prendrez-vous ? continua-t-il en ouvrant la porte d'un bar réfrigéré, abondamment garni.

— N'importe quelle boisson sans alcool, avec des glaçons, s'il vous plaît.

Will lui prépara un lemon tonic et choisit pour lui une bière blonde qu'il porta dans le patio. Aussitôt installée, son bloc-notes ouvert devant elle, Maeve entreprit de l'interroger, sautant du coq à l'âne, de sa couleur favorite à son signe zodiacal. Ses yeux marron foncé l'étudiaient avec une intensité telle qu'elle semblait vouloir déchiffrer les méandres de son esprit.

Lorsqu'elle pencha la tête pour noter ses réponses, il en profita pour l'observer à son tour. Bien qu'elle ne portât pas trace de maquillage, son visage hâlé était saisissant de contrastes. Elle avait une bouche charnue aux lèvres rouge cerise, des dents très blanches et de grands yeux expressifs. Ses cheveux sombres étaient noués en une souple queue-de-cheval qui venait de glisser devant son épaule.

— Avez-vous des frères et sœurs ? demanda-t-elle en repoussant une mèche de cheveux derrière son oreille.

Après un moment de silence, il sentit son regard interrogateur se poser sur lui et réalisa qu'il avait complètement oublié la question.

— Des frères et sœurs ? répéta-t-elle.

— J'ai deux sœurs et un frère.

— En quelle position venez-vous ?

— Je suis l'aîné.

— De quel signe êtes-vous ?

— Capricorne.

— Capricorne — Balance, mélange délicat, marmonna-t-elle, les sourcils froncés.

— Qui est Balance ?

Elle ne répondit pas, mais rosit légèrement.

— Vous croyez à l'astrologie ? demanda-t-il après avoir avalé une gorgée de bière.

— Non. Enfin, si.

— « Notre destin est inscrit en nous-mêmes, pas dans les étoiles. » J'ai entendu ces mots dans la bouche de votre père. Il me semble vous connaître déjà, à travers lui.

— Ah ? fit-elle en lui jetant un regard méfiant.

— Par exemple, je sais que vous adorez manger des crêpes au petit déjeuner le dimanche matin. Ou encore que vous vous rincez les cheveux à l'eau de pluie, raconta-t-il tout en se demandant si ses cheveux étaient aussi doux au toucher qu'ils en avaient l'air.

— Qu'est-ce qu'il vous a révélé d'autre ?

30

Will eut beau se creuser les méninges, il ne put se souvenir d'aucun détail embarrassant.

— Rien de personnel, ni de secret, n'ayez crainte.

Elle parut soulagée, ce qui ne manqua pas d'attiser la curiosité de Will. Mais elle n'avait pas oublié pour autant le but de sa visite et reprit son interview :

— Donc, vous êtes l'aîné. Qui est le deuxième ?

— Ma sœur, Julie. Mais vraiment, je ne vois pas...

— On ne sait jamais, répliqua-t-elle en notant sa réponse.

Il se pencha en avant, essayant en vain de lire son écriture à l'envers.

— Auriez-vous également un diplôme en psychologie ? demanda-t-il sans plus de succès, hormis un sourire à peine esquissé.

— Avez-vous grandi en ville ou à la campagne ? continua-t-elle.

— J'ai grandi ici, sur la péninsule, dans une petite ferme. Puis nous avons déménagé à Mornington, j'avais dix ans à ce moment-là. Et vous ? Art m'a dit qu'il avait un fils à l'étranger.

— Oui, mon frère, Bill. Il vit au Nouveau-Mexique. Il est astronome.

— Sonde-t-il la galaxie à la recherche de formes de vie extraterrestres ? plaisanta-t-il.

— Exactement, répliqua-t-elle d'un ton sérieux. Bien, vous avez sans doute beaucoup joué dehors lorsque vous habitiez à la ferme. Vous rappelez-vous les sensations que vous éprouviez alors ?

Will était sur le point d'éluder la question par une remarque désinvolte quand, contre toute attente — était-ce l'odeur de l'herbe fraîchement coupée, ou la paisible insistance de Maeve ? —, il se sentit soudain transporté dans le passé. A une époque où son père était encore en vie, où il menait une existence insouciante.

— Une impression de liberté, dit-il finalement. Je pouvais aller partout, faire ce que je voulais, de l'aube au crépuscule. Avec mon frère et mes sœurs, nous courions les plages et les prés pendant des heures, il n'y avait pas de limites à nos excursions. Un sentiment de liberté, mais également de sécurité, voilà ce que j'éprouvais. C'est bien loin, aujourd'hui. Mais on ne peut pas revenir en arrière.

— Je peux peut-être vous y aider.

— Si vous parvenez à insuffler le mystère de l'enfance dans mon jardin, alors je croirai vraiment que vous êtes une magicienne.

— La magie vient de l'intérieur, dit-elle tranquillement. Vous l'avez en vous, tout le monde l'a. Il s'agit seulement de la laisser parler.

Elle fit une pause pour boire quelques gorgées de son tonic. Les glaçons tintèrent faiblement dans son verre tandis qu'elle le portait à ses lèvres. A ce moment, la courbe de son cou tendu lui sembla révéler à la fois une immense fragilité et une force surprenante.

— Aviez-vous un endroit favori où vous aimiez aller lorsque vous étiez enfant ? Un lieu que vous étiez seul à connaître, qui n'appartenait qu'à vous ?

— Pourquoi me posez-vous toutes ces questions ?

— Je vous l'ai dit. Je veux vous connaître, répéta-t-elle de sa voix prenante, ses grands yeux sombres fixés sur lui.

— Oui, il y avait un endroit, reconnut-il, tout au fond du jardin, envahi de jasmin sauvage. J'y avais aménagé une espèce de cabane, ou plutôt une grotte de verdure. Il y faisait frais même les jours de grande chaleur. Je jouais au cheik arabe, retiré dans sa tente. Mon chien, un golden retriever, tenait le rôle du chameau. Ce n'est pas le genre d'images que vous aviez en tête, j'imagine, ajouta-t-il, dubitatif.

— Allez savoir, répondit-elle simplement en refermant son carnet et en se levant. Il me reste quelques mesures à prendre, et j'aimerais jeter un coup d'œil aux lilas, près du mur de brique.

— Cela ne vous ennuie pas que je vous accompagne ?

Le carillon de la porte d'entrée retentit avant qu'elle ait pu répondre. Décidément, il était dit que leurs conversations devaient être interrompues par des sonneries. Il la regarda s'éloigner et s'en fut ouvrir la porte. Ida, sa plus ancienne amie, se tenait sur le seuil. Avec ses cheveux auburn et son teint de porcelaine, elle aurait été très belle si une vilaine cicatrice n'avait gâché le côté droit de son visage : une marque de brûlure qui allait du coin externe de son œil jusqu'à son menton et que Will ne pouvait jamais regarder sans éprouver un remords lancinant.

— Salut, Will ! Est-ce que tu as un moment ?

— Bien sûr, dit-il, songeant qu'elle semblait encore plus menue qu'à l'ordinaire dans sa jupe grise et son chemisier blanc.

— Tant mieux, j'ai besoin de parler.

— Allons dans le patio.

Ils s'arrêtèrent dans la cuisine où Will prit une autre bière pour lui et versa un verre de chardonnay pour Ida.

— Donne-moi plutôt un verre d'eau, dit-elle. Je ne me sens pas très bien depuis quelques jours, j'ai dû manger quelque chose qui n'est pas passé.

— Alors, que voulais-tu me dire ?

— Attends que nous soyons assis.

Prenant son verre avec elle, Ida le précéda dans le patio où ils s'installèrent à la table de teck. Ida but une gorgée, reposa son verre et, regardant Will droit dans les yeux, déclara :

— J'ai décidé d'avoir un enfant.

Will faillit en renverser sa bière.

— Quoi ?

— J'ai dit que j'avais décidé d'avoir un enfant. Toute seule.

— Tu n'es pas sérieuse !

— Je ne t'en ai pas parlé jusqu'à aujourd'hui parce que je craignais que tu ne t'évertues à me faire changer d'avis. Mais j'ai bien réfléchi et je suis sûre que c'est ce que je veux. Je vais me faire inséminer artificiellement.

— Mais... pourquoi ? Est-ce que tu n'as pas l'intention de te marier un jour ?

— Qui m'épouserait ?

— Allons, Ida, dit-il sur le ton de la réprimande. Tu es une fille formidable, brillante, belle...

— Arrête, Will. J'ai peut-être été belle un jour, mais depuis ce... — elle effleura du doigt sa cicatrice — oublie ça.

Rongé de culpabilité, Will se tut soudain. Des années plus tôt, alors qu'ils étaient tous deux étudiants, ils avaient travaillé ensemble dans un fast-food. Un jour, il avait glissé, renversant le contenu d'un verre dans la friteuse devant laquelle se tenait Ida. Elle avait reçu les éclaboussures d'huile bouillante en plein visage. Et bien qu'elle ne lui ait jamais reproché l'accident, Will s'en était toujours tenu pour responsable.

— Bon, d'accord, tu n'as peut-être pas le physique d'une actrice de cinéma, mais tu réussis magnifiquement bien, non ? Ton travail marche, tu es déjà propriétaire de ta maison, tu conduis une BMW flambant neuve...

Il s'interrompit soudain. Qui essayait-il de réconforter, son amie ou lui-même ?

— En termes de réussite matérielle, c'est vrai, je me débrouille. Mais cela ne me suffit plus. Je voudrais avoir ma propre famille.

— Je peux comprendre ça. A vrai dire, j'y songe, moi

aussi. Il me semble qu'il serait temps pour moi de me fixer.

— Voilà, tu as mis le doigt dessus. J'ai trente-sept ans et je dois regarder les choses en face. Peut-être y a-t-il quelque part sur cette terre un homme prêt à m'aimer telle que je suis, mais je ne vais pas passer ma vie à l'attendre.

Will l'écoutait en dessinant des motifs sur son verre couvert de buée. Si seulement il avait pu tomber amoureux d'Ida. Mais il la connaissait depuis sa plus tendre enfance et il l'aimait comme un frère.

— Sois patiente. Tu finiras bien par rencontrer quelqu'un.

— Mon horloge biologique est désormais une bombe à retardement, rétorqua-t-elle. Rien que de penser à mon prochain anniversaire, je crois ressentir les premières bouffées de chaleur.

— Qu'est devenu ce gars de San Diego, Rick, c'est bien ça ? Il avait l'air très bien.

— Il est reparti aux Etats-Unis, répondit Ida avec ce geste dédaigneux qu'elle avait toujours lorsqu'elle s'efforçait de dissimuler un chagrin. Ce n'était pas sérieux.

— Pourquoi t'obstines-tu à minimiser les sentiments des hommes à ton égard ?

Will avait pourtant eu l'impression qu'il s'agissait d'autre chose que d'une banale aventure. Et Rick lui avait fait bonne impression. Mais s'il l'avait fait souffrir, Will se ferait un plaisir de régler cela avec lui. Cependant, il n'insista pas ; Ida détestait que quiconque éprouve de la pitié à son égard.

Un bruissement de feuilles, derrière lui, attira son attention. Se détournant, il vit Maeve émerger des buissons, fraîche comme une fleur dans sa chemise blanche,

35

malgré la chaleur. Elle prenait des notes et ne se rendait pas compte qu'il la regardait. Soudain, un coup de vent fit tourner sa page. Elle leva les yeux et lui sourit.

Will se figea, surpris par l'étrange sensation qui s'emparait de lui : un courant électrique sembla parcourir ses membres. Il tenta de lui rendre son sourire et, comme leurs regards se croisaient un peu plus longtemps que nécessaire, un intense sentiment de bien-être l'envahit.

— Qui est-ce ? s'enquit Ida.

— Hein ? Oh, c'est Maeve, la fille de mon contremaître. Elle est paysagiste et elle a une foule d'idées pour le jardin.

— Elle est très jolie. Si tu es vraiment décidé à te ranger, tu n'auras pas à chercher bien loin.

— Je lui ai proposé de sortir avec moi un soir et elle a refusé, dit-il en fronçant les sourcils. Comme ça. Sans raison.

— Sans doute avait-elle eu une rude journée.

— Peut-être.

Maeve disparut derrière le figuier et Will se tourna vers Ida.

— Tu sais, je comprends très bien que tu aies envie d'avoir un enfant, mais faut-il vraiment que tu le fasses toute seule ?

— Qu'y a-t-il de mal à ça ? dit-elle d'un air de défi.

— Pour commencer, un enfant a besoin d'une mère et d'un père. Je sais bien que les choses ne se passent pas toujours de cette façon et ce n'est pas moi qui jetterais la pierre à un couple qui se sépare. Cependant, je pense que tu devrais au moins essayer.

— Que crois-tu que j'ai fait ces quinze dernières années, Will ? dit-elle en se penchant en avant.

— Mais, pense à l'enfant. Serait-ce juste de le priver délibérément d'un père ? insista-t-il en songeant à celui qui lui avait si terriblement manqué dans son enfance.

36

— La vie n'est pas juste, rétorqua-t-elle, les lèvres serrées.

Elle se leva, se mit à arpenter le patio, puis, s'accoudant à la balustrade, dit sans le regarder :

— J'avais espéré de ta part un soutien moral. Mais si cela n'est pas possible, au moins, épargne-moi tes reproches.

— Je ne voulais pas te faire de peine, Ida, dit-il en la rejoignant et en passant un bras autour de ses épaules. Je ne serais pas un véritable ami si je n'essayais pas de te faire entendre raison.

— Je sais, excuse-moi, balbutia-t-elle en essuyant une larme sur sa joue du dos de la main. Je ne suis pas moi-même en ce moment. Je sais que c'est une idée égoïste, mais j'ai l'impression d'être dans une impasse. Je déteste ça. C'est pitoyable.

— Allons, allons, dit-il, en lui tapotant le dos. Tu n'es ni égoïste ni pitoyable. C'est simplement que tu mérites mieux que ça, et ton bébé aussi. Je pensais que tu attendais de rencontrer ton alter ego.

— Mon alter ego a dû prendre un chemin de traverse, dit-elle avec un rire forcé. Ou alors, il m'a vue le premier. J'abandonne, Will. Mon apparence est ce qu'elle est. La chirurgie esthétique ne peut pas faire mieux. Depuis mon accident, je ne suis sortie qu'avec des amis ou des collègues qui étaient désolés pour moi.

— Tu oublies Rick, lui rappela-t-il. Et je ne crois pas un instant que quiconque soit sorti avec toi par compassion.

Elle s'écarta de lui en soupirant et retourna s'asseoir.

— J'ai cru que Rick était différent des autres ; pourtant, quand son travail a été terminé à Melbourne, il est tout simplement rentré chez lui.

— Il ne t'a jamais donné de nouvelles ?

— Si. Il a téléphoné une fois. Par politesse. Je ne peux pas me permettre d'attendre plus longtemps une hypothétique rencontre. Si je veux un enfant, il faut que ce soit maintenant.

Will garda le silence un moment, puis alla s'asseoir auprès d'Ida, décidé, malgré ses propres réticences, à l'aider.

— Entendu. Dans ce cas, comment envisages-tu les choses ? Qui sera le père ? As-tu l'intention de le mettre au courant ?

— Rien n'est encore arrêté, répondit-elle en regardant ses mains, un sourire aux lèvres, mais je songe effectivement à quelqu'un.

Will, légèrement soulagé, se laissa aller contre le dossier de sa chaise. Au moins n'avait-elle pas l'intention d'orienter ses recherches vers des amants de passage.

— Et bien sûr, je l'avertirai, continua-t-elle. Il pourra choisir de couper définitivement les ponts ou de conserver un lien avec son enfant. Ma seule condition, s'il décide d'assumer sa paternité, sera qu'il s'y tienne. Pour le bien de l'enfant.

— Qui que ce soit, j'espère que c'est un type bien. En tout cas, pas question que ce soit n'importe qui !

— Oh, ce n'est pas n'importe qui ! s'exclama-t-elle.

Will observait son visage et, tout à coup, il fut frappé par l'étrange intensité de son regard.

— Attends ! Je crois que je commence à comprendre. Est-ce que tu parles de... moi ? dit-il, abasourdi.

— Oh, dis-moi que tu acceptes ! Je détesterais avoir recours à une banque du sperme, et je ne veux pas que le père de mon enfant soit un parfait inconnu.

— Je... je suis extrêmement flatté. Je ne sais pas quoi dire.

— Tu n'es pas obligé de me répondre tout de suite. Je

sais que je te prends au dépourvu. Mais pourrais-tu simplement y réfléchir ? S'il te plaît ?

Sa réaction instinctive eût été de refuser ; cependant, pour Ida, il ferait l'effort d'envisager la proposition.

— Je te promets que je vais y penser.

— Merci, dit-elle puis elle soupira en regardant sa montre. Je ferais mieux d'y aller. J'ai des tonnes de travail en retard.

Will la raccompagna jusqu'à sa voiture. Ida allait ouvrir sa portière, quand elle suspendit son geste pour se tourner vers lui, en le dévisageant avec inquiétude.

— Will, quoi que tu décides, je l'accepterai. Je ne veux pas que notre amitié en souffre.

— Rassure-toi, cela n'arrivera pas, dit-il en l'embrassant, bien qu'il se sentît encore un peu désorienté.

Certes, il désirait être père, mais jamais il n'aurait songé à le devenir de cette façon. A quoi bon concevoir un enfant si vous ne faisiez pas partie de la famille ?

# 3.

Maeve referma son bloc-notes et retourna tranquillement vers le patio. Son projet n'était pas aussi achevé qu'elle l'aurait souhaité. Et elle n'avait pas l'impression d'en savoir assez au sujet de Will. Cependant, il arrivait qu'elle doive se contenter d'une simple ébauche en se mettant à l'œuvre. Le projet s'élaborait alors au cours de la réalisation, à mesure que s'affinait sa connaissance du client, comme un écrivain découvre, au fil du roman, la personnalité de son héros.

En attendant le retour de Will qui raccompagnait son amie, ou sa petite amie, à sa voiture, elle étala ses esquisses sur la table du patio. Il reparut bientôt, l'air bouleversé, dans l'embrasure des portes coulissantes.

— Est-ce que tout va bien ? demanda-t-elle.

— Pardon ? Oui, très bien. Vous avez terminé ?

— Je crois. Dites-moi ce que vous en pensez, dit-elle en montrant ses plans.

Will se pencha sur les feuillets, sembla lire avec attention sa minuscule écriture et finit par déclarer :

— C'est du chinois pour moi.

— Du latin, en fait, rectifia-t-elle. Désolée que cela vous paraisse obscur, mais je préfère désigner les plantes par leur nom d'espèce.

— Où avez-vous fait vos études ?

— A l'université de Melbourne. J'ai un doctorat de botanique.

— Je pensais qu'avec un tel diplôme, on se consacrait à l'enseignement ou à la recherche, observa-t-il avec une expression qui ne dissimulait rien de sa surprise.

— J'expérimente à ma manière, sur le terrain, dit-elle en haussant les épaules. Et de toute façon, je préfère de beaucoup faire pousser les plantes que les étudier. Bien, je vais vous laisser réfléchir. Recontactez-moi, par téléphone ou par e-mail, lorsque vous aurez pris votre décision, voulez-vous ?

— Quand pourriez-vous commencer ?

— Je suis assez prise durant les deux semaines qui viennent, dit-elle après quelques minutes de réflexion, mais je peux essayer de repousser quelques-uns des chantiers les moins urgents. Je pourrai sans doute revenir lundi ; la première chose à faire est de supprimer l'eucalyptus près du bungalow.

— C'est très gentil de bouleverser votre emploi du temps pour moi.

Comprendrait-il si elle lui avouait que son jardin avait déjà pris forme dans son esprit et qu'elle avait hâte de se mettre à la tâche ?

— Vous... vous êtes montré très généreux envers mon père.

— Je ne lui ai rien offert qu'il n'ait mérité, répondit-il avant de rentrer, un peu trop vite, dans la maison.

Maeve fut certaine d'avoir vu passer une ombre sur son visage. Etait-il embarrassé ? Ou quelque chose l'avait-il contrarié ? Mais Will revenait déjà, souriant, son carnet de chèques à la main.

— Vous aurez besoin d'argent pour les plantes et les fournitures, je suppose ?

— La moitié de ce montant sera suffisante pour le moment, dit-elle en lui tendant le brouillon du devis qu'elle avait établi.

Il jeta un coup d'œil rapide à l'estimation.

— Je préfère régler toute la somme dès maintenant.

— Comme vous voudrez.

D'ordinaire, les clients ne se précipitaient pas pour acquitter leurs factures, surtout ceux qui étaient supposés avoir des difficultés financières. Aussitôt, elle se reprocha cette pensée : qu'avait-elle à toujours tout analyser ? Lui ayant signé un reçu, elle plia le chèque en deux et l'empocha.

— J'en conclus que j'ai décroché le contrat, dit-elle d'un ton malicieux.

— Ça en a tout l'air, répondit-il en souriant. Seriez-vous libre samedi soir ?

— Oui, mais...

— Briar, le bar à vin, organise un concert de jazz, poursuivit-il sans lui laisser le temps d'objecter. Nous pourrions emporter un pique-nique et nous installer sous les arbres pour écouter la musique en regardant le soleil couchant sur les collines...

— C'est tout à fait tentant, dit-elle en l'arrêtant d'un geste. Mais je ne peux pas.

— Vous ne pouvez pas ou vous ne voulez pas ?

Elle hésita un instant, détourna les yeux, puis se campa en face de lui :

— Je ne veux pas.

— Puis-je vous demander pourquoi ? demanda-t-il assez froidement.

— Je... je ne sors jamais avec mes clients, marmonna-t-elle en évitant son regard.

— Je ne vous crois pas, dit-il en secouant la tête.

— Bon, disons que je ne pense pas que cela soit une

bonne idée de sortir avec le patron de mon père, hasarda-
t-elle.

— N'importe quoi !

— D'accord, vous l'aurez voulu, dit-elle alors avec un
air de défi. Vous ne m'attirez pas.

Will ne tiqua même pas. Il fixa son visage comme s'il
essayait de deviner la raison de son mensonge et dit finalement :

— Donnez-moi la véritable explication.

Troublée par ses yeux calmes qui avaient lu en elle si
facilement, elle prit une longue inspiration et renonça à
dissimuler plus longtemps la vérité.

— C'est simplement que je ne suis pas prête à
m'engager avec quelqu'un pour le moment, avoua-t-elle.
Je me demande parfois si je le serai de nouveau un jour.

— On vous a fait beaucoup de mal, fit-il d'une voix
adoucie.

Elle détourna le regard.

— Votre ex-mari ?

— Lui et... Ecoutez, je ne souhaite pas en parler. C'est
un moment douloureux de ma vie que je ne peux pas partager. Croyez-moi, cela ne marcherait pas entre nous.

— Peut-être, dans une semaine ou deux...

— Non ! Excusez-moi, mais il n'y a pas la moindre
chance pour que je change d'avis. Vous perdriez votre
temps.

Pourquoi diable son visage conservait-il cette expression étrange de détermination ? N'avait-elle pas été assez
explicite ?

— Je vous promets de ne pas vous bousculer, poursuivit-il, j'attendrai. Et je serai là quand vous aurez changé
d'avis.

— Non, répéta-t-elle en mettant son chapeau, ne
m'attendez pas.

44

Will s'éveilla à 5 heures le lendemain matin, en sueur. La chaleur était étouffante et il avait passé la nuit à chercher le sommeil, préoccupé par son rendez-vous imminent avec Paul, son comptable et son ami de longue date. Will était avant tout un ingénieur, et l'économie n'était pas son domaine de prédilection, mais il n'avait pas besoin de sortir d'une grande école pour comprendre que sa compagnie battait de l'aile.

Aujourd'hui, il devrait décider s'il allait ou non fermer l'usine de Mornington pour délocaliser. Sur place, les coûts de production étaient élevés et les salaires plus encore. Les actionnaires réclamaient à cor et à cri des bénéfices toujours plus importants, tandis que les importations de produits moins chers menaçaient de lui faire perdre sa position sur le marché. Après avoir connu un succès phénoménal, ses alarmes de sécurité à infrarouges ne pouvaient plus soutenir la concurrence mondiale. Selon les financiers, la seule façon de maintenir l'entreprise à flot était de transférer les chaînes de production en Indonésie.

Une telle décision impliquait le licenciement de ses employés et cette perspective lui faisait horreur. Cela allait à l'encontre de tout ce en quoi il croyait, de tout ce pour quoi il s'était battu. D'un autre côté, s'il déposait le bilan, ses employés se retrouveraient également au chômage.

Vêtu uniquement de son short, il emporta son sandwich dans le patio et s'appuya contre la balustrade. Quand cette vague de chaleur prendrait-elle fin ? Pas un nuage ne troublait la limpidité du ciel. Généralement, après quatre ou cinq jours caniculaires, un changement de temps survenait, apportant un peu de fraîcheur, mais cela faisait sept jours maintenant que cela durait et le thermomètre affichait imperturbablement une température supérieure à 37°.

Comment pourrait-il se résoudre à trahir leur confiance à tous ? « Vous vous êtes montré si généreux envers mon père », avait dit Maeve. Il avait eu beau s'efforcer de la chasser de son esprit, son image revenait, ses gestes gracieux, ses yeux sombres. Il avait l'impression qu'elle devinait ses sentiments les plus intimes et qu'il l'attirait. Alors, pourquoi refusait-elle de sortir avec lui ?

Et puis, il y avait Ida. Et son ahurissante requête. Il aurait voulu l'aider et il ne voyait absolument aucune raison logique pour ne pas le faire. Pourtant, quelque chose en lui résistait à cette idée.

Une heure plus tard, il se garait devant l'usine. Aussie Electronique occupait un long bâtiment bas dans la zone industrielle de Mornington, à une trentaine de kilomètres au nord de la péninsule. Sur le parking, la voiture de Paul occupait déjà une des places réservées aux visiteurs.

— Bonjour, Renée, dit-il en pénétrant dans le hall.

Renée était une petite femme blonde d'une quarantaine d'années qui, après des études de secrétariat, avait passé de nombreuses années à élever ses enfants. Will, en l'embauchant, l'avait sauvée de l'inévitable cortège des petits boulots réservés aux femmes d'âge mûr sans expérience professionnelle, et avait été, depuis cinq ans, largement récompensé par ses talents d'organisatrice et son efficacité.

— Paul vous attend dans la salle de réunion.

Elle s'était arrêtée de taper sur le clavier de son ordinateur et Will sentit son regard inquiet peser dans son dos tandis qu'il s'éloignait de la réception.

En costume de ville, veste sombre et cravate grise, ses courts cheveux noirs bien lissés en arrière, Paul l'attendait, assis devant la longue table ovale sur laquelle étaient éparpillés quantité de documents. Il était bien plus que le comptable de la société ; Will s'en remettait totalement à lui pour de nombreuses décisions concernant la gestion de l'entreprise.

— Paul, salut mon vieux ! lança-t-il en lui serrant la main. N'as-tu pas entendu dire que l'été était arrivé ?

Paul lui jeta un regard en biais.

— J'ose espérer que tu n'arboreras pas cette affreuse chemise hawaïenne lors de notre rencontre avec la délégation indonésienne à Jakarta le mois prochain.

— Tu ne sais pas que le style décontracté est de mise le vendredi et que cette mode a fini par atteindre les salles de conférences du monde entier ? rétorqua Will.

— Et, bien sûr, tu as toujours été un esclave de la mode ! s'exclama Paul en riant.

— Trêve de plaisanteries. J'ai de mauvaises nouvelles. Kmart et Target ont tous deux annulé leurs commandes. Ils ont décidé de s'approvisionner en modèles japonais, fabriqués à Singapour et vendus dix pour cent moins cher.

— Quelle tuile !

— Comme tu dis.

Il laissa tomber sa serviette sur la table et s'assit lourdement. L'alarme japonaise, récemment mise sur le marché, ressemblait étrangement à sa propre invention, hormis quelques différences minimes destinées à contourner les lois sur les brevets.

— Non seulement nous avons perdu notre position de leader des ventes, mais le marché nous boude.

— Tu as d'autres produits, intervint Paul : les minuteurs, les interrupteurs, les instruments médicaux...

— C'est vrai, ils se vendent plutôt bien, mais rapportent peu. En tout cas pas assez pour compenser le manque à gagner sur les alarmes. Et depuis que nous sommes cotés en Bourse, je subis la pression des actionnaires... Alors, poursuivit-il en désignant un épais dossier sur la table, tu as étudié les propositions du ministère du Commerce indonésien ?

— Oui, acquiesça Paul. Economiquement, ce serait plus que viable et le gouvernement te saura gré de créer des emplois.

— Tandis que je les supprimerai ici, répliqua-t-il amèrement.

— Ecoute, vieux, les bons sentiments ont leurs limites. Il faut délocaliser tant que tu es encore solvable. Dans six mois, tes employés ne se souviendront même plus de ton nom.

— Ils le maudiront.

Will repoussa sa chaise, s'approcha de la baie vitrée qui s'ouvrait sur des enclos à chevaux et regarda au loin les pentes douces de la colline, couvertes de vignes. Au fil des années, il avait appris à connaître chacun de ses employés, dont la plupart étaient talentueux, travailleurs et loyaux, et il ne pouvait se résoudre à les laisser tomber. Pas plus qu'il ne désirait perdre le contrôle de ce qu'il s'était acharné à construire.

Cependant, Paul avait raison. Fermer l'usine était la seule issue possible. Il se sentit soudain écrasé par le poids de la décision qu'il s'apprêtait à prendre.

— Je n'avais pas imaginé que ce serait aussi douloureux de renoncer.

— Tu ne renonces pas, tu délocalises, dit Paul d'un ton réconfortant. Ce n'est pas du tout pareil. Si tu veux, je me chargerai d'annoncer la nouvelle.

— Non, protesta-t-il en se raidissant. Je suis responsable de mes ouvriers. C'est moi qui le leur dirai.

— J'ai établi la liste des licenciements, reprit Paul en

parcourant une liasse de feuillets. Tout est prêt à partir. Il ne manque que ta signature.

— Ces montants sont ridiculement bas, décréta Will en découvrant les chiffres des indemnités. La plupart de mes employés ont une famille.

— Ce sont les droits minimums légaux.

— Double-les.

— Will, tu ne peux pas te le permettre...

— Fais ce que je te dis ! le coupa-t-il sèchement.

Il jura puis passa ses deux mains jointes sur son visage en soupirant.

— Excuse-moi, reprit-il, contrit. Je sais que tu essaies de faire ce qu'il y a de mieux pour l'entreprise.

— Tu verras, tout ira bien, dit Paul d'un ton apaisant en serrant l'épaule de son ami d'une main ferme.

Will hocha la tête en signe d'assentiment et fit un effort pour se concentrer sur les mesures à prendre.

— Nous devrons poursuivre la production encore trois mois pour remplir nos engagements en cours.

— Je vais prendre contact avec les responsables à Jakarta et mettre en route les démarches administratives. J'ai des agents sur place qui pourront visiter les sites proposés. Aurais-tu quelqu'un en tête pour s'occuper du démarrage là-bas ?

— J'ai toute confiance en Art Hodgins.

Trois mois. Il licenciait ses employés et leur demandait de travailler encore trois mois pleins pour lui.

— A ta place, reprit Paul comme s'il avait lu dans ses pensées, j'attendrais pour annoncer la fermeture. Tu n'es tenu de respecter qu'un préavis de deux semaines ; en le devançant, tu t'attires des ennuis.

— Les gens ont besoin de temps pour trouver un nouvel emploi. Ce ne sera pas facile pour certains, ajouta-t-il en songeant à Art, Pat, Mick et une douzaine d'autres qui avaient passé la cinquantaine.

— A mon avis, tu te coupes l'herbe sous le pied. Mais peut-être que, pour toi, ils continueront. Je n'ai jamais vu une compagnie dans laquelle il y avait aussi peu de conflits. J'ai un rendez-vous tout à l'heure à Mornington, poursuivit-il en jetant un coup d'œil à sa montre. On pourrait se retrouver pour déjeuner au Grand Hôtel ?

La seule pensée de s'asseoir devant un bon repas, comme si de rien n'était, après avoir donné le coup de grâce à ses ouvriers, l'écœurait. L'unique endroit où il aurait envie d'être après ça était sur sa planche de surf, seul entre le ciel et l'eau.

— Merci, pas aujourd'hui, répondit-il simplement.

Un moment plus tard, il se trouvait face aux visages attentifs de la centaine d'employés qui travaillaient pour Aussie Electronique. Il y eut quelques rires et commentaires lorsqu'il s'éclaircit la gorge, quelques échanges de regards inquiets, puis le silence se fit. Il prit alors la parole et l'annonce de la fermeture tomba comme un couperet. L'assemblée était sous le choc. Quelles qu'aient été les rumeurs qui avaient couru, personne ne s'était attendu à pareil verdict.

Les visages, d'abord décomposés, s'animèrent bientôt. On murmurait, on s'interrogeait. Puis, MacLeod, un dur à cuire embauché quelques mois plus tôt, mais qui s'était déjà fait remarquer par ses doléances répétées, prit Will à partie sur un ton agressif.

Art Hodgins intervint et réussit à couvrir le concert de protestations qui s'amplifiait de minute en minute, en hurlant que M. Beaumont n'aurait pas pris une telle décision sans y être acculé. Lorsqu'un calme relatif fut enfin revenu, il s'adressa à Will :

— Mes camarades et moi-même savons ce qu'il vous en coûte d'avoir à prendre cette décision et de perdre ce que vous avez construit à force de travail et d'efforts.

50

Will, aux prises avec un grandissant sentiment de honte, fit un bref signe de tête et laissa la place à Paul, qui devait exposer les dispositions prises pour sauver la compagnie. Poursuivi par le grondement de colère qui accueillit l'annonce de la délocalisation, Will retourna dans son bureau où l'attendait la triste tâche d'enterrer son usine moribonde.

Maeve poussa la porte d'entrée de son cottage. Elle revenait de la pépinière, où elle était allée commander des plantes destinées au jardin de Will, et était très satisfaite de ses achats. Elle avait obtenu un prix sur deux douzaines de plants de gardénias et avait trouvé un magnifique rosier à fleurs mauves très odorantes, appelé Brume Nocturne.

— Papa! lança-t-elle. Je suis rentrée!

Pas de réponse. Pourtant, elle avait remarqué ses chaussures sur le seuil et le courrier était posé sur la petite table de l'entrée. La maison baignait dans un silence inhabituel. Elle se rendit dans la cuisine. Personne. Aucun signe d'un repas en préparation.

La légère inquiétude qu'elle avait ressentie tout d'abord se mua en une vive appréhension. Elle essaya de se rassurer. Art avait dû aller acheter un journal ou un paquet de tabac au coin de la rue. Mais, dans ce cas, ne l'aurait-elle pas croisé en rentrant? Se hâtant, elle retraversa le couloir pour aller frapper à la porte de sa chambre.

— Papa? Tu es là?

Un grognement indistinct lui répondit.

— Tu vas bien? demanda-t-elle en ouvrant la porte.

Il était étendu sur son lit, les mains croisées sur la poitrine, les yeux au plafond. Pas une fois, il ne s'était couché pendant la journée depuis son attaque. Son visage était gris et ses rides lui semblèrent plus marquées qu'à l'accoutumée. Elle s'approcha, anxieuse.

— Que se passe-t-il, papa ?

— Rien, j'allais m'occuper du dîner, dit-il en se redressant.

Il s'assit, mais la force sembla lui manquer pour se lever. Maeve s'assit à son tour et passa un bras autour de ses épaules, craignant de sentir une odeur de whisky. Art ne répugnait pas à boire un verre de Johnny Walker de temps à autre, cependant elle ne l'avait jamais vu ivre.

— Qu'est-ce qui ne va pas ? répéta-t-elle. Tu es malade ?

Il soupira et passa une main fatiguée sur son visage.

— J'ai perdu mon travail. Aussie Electronique ferme l'usine de Mornington pour s'implanter en Indonésie.

— Quoi ? Quand ?

— Dans trois mois, répondit-il d'une voix vidée de toute énergie, les yeux fixés sur le plancher.

— Mais pourquoi ? Je ne comprends pas.

L'apathie de son père l'effrayait. Les cinq dernières années l'avaient éprouvé : maman avait disparu, puis Kristy, ensuite il y avait eu son attaque. Et maintenant, ça. Son père n'était plus l'homme solide, combatif, qu'elle avait cru invincible lorsqu'elle était enfant.

— Apparemment, on ne peut plus rivaliser avec les produits d'importation. Ils disent que les salaires, ici, sont trop élevés. Cent emplois supprimés, comme ça, dit-il en claquant des doigts. Et j'étais à seulement trois ans de la retraite...

— Mais tu disais que Will Beaumont était fier d'avoir créé une société véritablement australienne. Pourquoi irait-il s'installer à l'étranger ?

— Pour l'argent, le profit, quoi d'autre ? dit Art d'un

air soudain furieux, en se mettant à déambuler dans la chambre. Comment croient-ils donc que nous allons vivre s'ils continuent de nous déposséder de nos emplois? Tu peux répondre à ça?

— N'y a-t-il rien que vous puissiez faire? demanda-t-elle. Les salariés ne peuvent pas s'organiser pour reprendre l'entreprise?

Aussi vite qu'elle était venue, la colère de son père retomba. Il se tassa sur le lit comme un vieil homme.

— Racheter une affaire d'électronique de plusieurs millions de dollars? Tu n'y penses pas! C'est inconcevable de continuer sans Will Beaumont, acheva-t-il d'une voix éteinte.

— Je suis désolée, papa! dit-elle.

Elle avait essayé de le consoler et tout ce qu'elle avait réussi à faire, c'était le bouleverser davantage. Mais s'il se laissait aller sans réagir, il était perdu. Elle ajouta avec toute la force de conviction dont elle était capable :

— N'abandonne pas maintenant. Tu dois te battre.

— Ça va aller, ma chérie, tu verras, dit-il en faisant un effort visible pour se redresser. Ne te tracasse pas.

Elle serra sa main et parvint à sourire.

Elle ne pouvait rien faire pour lui, certes, mais elle n'était pas obligée non plus de continuer à travailler pour l'homme qui l'avait honteusement jeté au chômage. Et dire qu'elle s'était presque sentie coupable en déclinant l'invitation de Will à ce concert de jazz...

— J'ai quelque chose à faire, annonça-t-elle soudain en se levant. Ne t'occupe pas du dîner, je passerai chez le traiteur au retour. Je n'en ai pas pour plus d'une heure.

Elle était déjà à mi-chemin de Sorrento lorsqu'elle se dit qu'elle aurait aussi bien pu téléphoner à Will Beaumont pour l'informer de sa décision. Mais elle aurait dû alors lui retourner son chèque par courrier. Et, en vérité, elle était fort désireuse de lui dire son fait, sans qu'il eût la possibilité de lui raccrocher au nez.

Les mains crispées sur le volant, elle se rendit compte qu'elle conduisait trop vite. Imaginer son père tournant en rond dans la maison, désœuvré, la remplissait d'indignation. De quel droit le privait-on de son emploi, de sa dignité ?

Bientôt, elle dépassa le bassin du ferry, à quai à cette heure, et s'engagea dans l'avenue bordée de vieux immeubles blancs et de boutiques, qui grimpait sur les hauteurs de Sorrento.

Will Beaumont lui avait paru être un homme honnête ; elle devait lui accorder le bénéfice du doute. « Je ne le condamnerai pas sans preuve », songeait-elle tandis qu'elle patientait à un feu rouge. Mais, lorsqu'elle atteignit l'allée qui menait à sa maison et le découvrit occupé à détacher sa planche de surf de la galerie de la Mercedes, la colère la submergea de nouveau. Pendant que son père noyait son chagrin, cette crapule était allée surfer.

Elle étouffa un juron.

— Maeve ! Bonjour, dit-il d'un ton surpris comme elle sortait de sa voiture.

Il n'avait pas encore ôté sa combinaison de plongée, qui, roulée jusqu'à la taille, révélait les muscles lisses et puissants de son torse et de ses épaules. Son sourire s'évanouit lorsqu'il comprit.

— Je vois que vous avez appris la nouvelle.

— Tout juste, répondit-elle sans chercher à dominer son ressentiment. Pourquoi fermez-vous l'usine ?

Déjà, elle avait extrait le chèque qu'il lui avait donné de la poche de sa chemise et s'apprêtait à le déchirer. S'imaginait-il qu'elle allait continuer à travailler pour lui ?

— Délocaliser est un impératif pour sauver la compagnie, dit-il, fixant le chèque d'un regard froid.

— Et ça ne vous perturbe pas trop de mettre mon père et une centaine d'autres personnes au chômage ? répliqua-t-elle, furieuse.

— Je suis navré pour votre père. Et pour les autres aussi, bien sûr, dit-il, les mains crispées sur la planche.

Elle le dévisagea, hostile. Sa politesse de bon ton ne changeait rien à l'affaire.

— Mon père a cinquante-sept ans, explosa-t-elle. Qui l'embauchera à son âge ? Mais peut-être pensez-vous qu'il devrait s'expatrier et travailler pour un salaire moitié moindre ?

— Je n'ai pas souhaité ce qui arrive. Je ferai tout ce qui est en mon pouvoir pour reclasser mes salariés, dit-il d'une voix tendue.

— Vos salariés ? persifla-t-elle. Pensez-vous qu'ils vous appartiennent ? Gardez vos explications hypocrites et vos platitudes pour l'usine et n'espérez pas que personne vous croie !

— Vous êtes vous-même une femme d'affaires, reprit-il en appuyant la planche contre la voiture. Vous savez qu'une entreprise qui ne fait pas de profits n'en a plus pour longtemps.

— Vous voudriez me faire croire que vous ne faites pas de profits quand votre produit numéro un est un système d'alarme sophistiqué que même mon père ne peut pas se permettre d'acquérir.

— Une imitation est apparue sur le marché, moins chère, bien entendu. Je n'avais pas la moindre envie de délocaliser, mais c'était ça ou mettre la société en liquidation. Je n'ai pas eu le choix.

— Comment pourriez-vous entretenir une pareille maison si votre compagnie se portait si mal ? railla-t-elle. Vous ne semblez pas manquer d'argent.

— J'ai acheté cette maison voilà cinq ans, à une époque où les prix de l'immobilier étaient très bas. Mais je ne pense pas que cela vous regarde.

— Vous conduisez tout de même une Mercedes.

Elle le devinait sur la défensive, mais se sentait pourtant elle-même étrangement déstabilisée.

— J'ai acheté une voiture sûre, une voiture familiale, répondit-il d'une voix de plus en plus tranchante. Avez-vous terminé ?

Bon sang ! Elle le détestait. La planche de surf accrocha soudain son regard.

— Ne devriez-vous pas être en train de chercher des solutions pour sauver Aussie Electronique au lieu d'aller surfer comme un gamin irresponsable ?

— Le surf m'aide à y voir clair, répondit-il sans sourciller. Cela me met dans un état d'esprit où les solutions m'apparaissent de manière limpide.

Elle enregistra l'information et, intriguée malgré elle, se surprit à demander :

— Vraiment ? Pouvez-vous m'expliquer ça ?

— J'ai une théorie là-dessus, commença-t-il, visiblement surpris par son changement de ton. Je pense que l'horizontalité de l'océan est propice aux idées originales.

Plaisantait-il ? Non, il n'en avait pas l'air. Un sourire penaud flottait sur son visage comme s'il avait parfaitement conscience que sa théorie n'avait de sens que pour lui.

— Mais les vagues sont verticales, objecta-t-elle.

— Imaginez la surface de l'océan, dit-il en posant la main droite sur le toit de la Mercedes. Et voici la vague, poursuivit-il en relevant sa main à un angle de soixante degrés. Ma main gauche représente la planche. A l'intersection de ces deux plans naît une troisième dimension, imaginaire celle-là, où tout peut se produire.

Son explication était improbable, pourtant elle avait

réussi à visualiser quelque chose. Une interprétation très personnelle : un foisonnement de fleurs bleues et blanches retombant en cascade, piqué, ici et là, de surprenants boutons pourpres.

Mais c'était trop tard. Comment aurait-elle pu oublier le chèque entre ses doigts, la raison de sa visite ?

— J'espère que vous continuerez à vous occuper de mon jardin, dit-il tout à coup.

Ses doigts s'étaient contractés sur le petit rectangle de papier bleu. Avait-il suivi son regard, ou ses pensées avaient-elles parcouru le même cheminement que les siennes ? Sans le salaire d'Art, ils auraient besoin d'argent. Ses yeux revinrent à ceux de Will et y lurent l'intelligence et la compassion qu'elle appréciait plus que toute autre qualité chez un homme. Et celui-là était honnête, bien que prisonnier de circonstances difficiles.

Puis elle pensa à son père, brisé par cette nouvelle infortune.

Non, elle ne pouvait pas lui faire un tel affront.

— Allez au diable, dit-elle sans réussir à y mettre la conviction nécessaire.

Elle lui fourra prestement le chèque dans la main puis courut vers sa voiture et démarra en trombe, disparaissant de l'allée, et de la vie de Will Beaumont, aussi vite que possible, de crainte de changer d'avis.

# 4.

Will était furieux. De quel droit se permettait-elle de le rembarrer de la sorte? Personne plus que lui ne désirait qu'Aussie Electronique reste en Australie.

Les feux arrière de l'utilitaire s'allumèrent brièvement comme elle freinait au bout de l'allée, les pneus crissèrent dans le virage et la voiture s'éloigna dans un ronflement de moteur.

Toujours furibond, il emporta sa planche à l'arrière de la maison et la flanqua contre le mur, couverte de sel et de sable. Puis il s'extirpa de sa combinaison et la laissa tomber à terre, sans se soucier le moins du monde de l'impardonnable péché qu'il commettait en abandonnant ainsi le matériel qu'il prenait d'habitude tant de soin à rincer.

Ne prenant pas non plus la peine de se doucher, il enfila rapidement un short gris et une chemisette violette, prit le devis de Maeve et ses clés de voiture sur la table du hall et se dirigea à grands pas vers la Mercedes.

Il le voulait ce jardin, bon sang! Et il l'aurait! Elle avait signé un contrat. Elle ne pouvait pas le rompre simplement parce qu'elle le tenait pour un affreux capitaliste qui s'amusait à détruire la vie des gens.

Ayant jeté un coup d'œil à l'en-tête du devis, il

démarra sur les chapeaux de roues et se lança à sa poursuite, tenant d'une main le volant et boutonnant sa chemisette de l'autre.

Il ne la rattrapa qu'à Rosebud, dans l'avenue qui longeait la plage. Comme il s'impatientait à un feu rouge, il se dit que le stress pouvait parfois conduire à des comportements totalement inattendus : n'était-il pas en train de pourchasser son jardinier à travers la péninsule ?

Toutefois, que sa réaction fût sensée ou non, il venait de prendre conscience qu'il désirait en fait affronter Art plutôt que sa fille. Après avoir annoncé la nouvelle à ses employés, il n'avait pas eu l'occasion de lui parler et l'idée qu'il pût mal le juger lui était odieuse.

Il n'était pas plus responsable de cette situation que le banquier accroché à ses trois cents pour cent de profit, ou le gouvernement qui avait réduit les taxes à l'importation, ou bien encore les consommateurs eux-mêmes qui achetaient les produits importés à bon marché. Défendre l'industrie locale était devenu un luxe que personne ne pourrait bientôt plus se permettre.

Il se trouvait maintenant juste derrière la voiture de Maeve, mais elle ne s'en aperçut pas. Ou fit mine de ne pas le voir. Un moment, il songea à klaxonner, puis il y renonça. Il ne voulait pas se montrer agressif, il voulait seulement lui parler. Quand le feu passa au vert, il vit qu'elle l'avait remarqué dans son rétroviseur. Allait-elle se garer ? Il y avait justement trois places libres le long du trottoir, quelques mètres plus loin. Elle accéléra.

Il la suivrait donc jusque chez elle. Elle ne le regarda de nouveau dans son rétroviseur qu'une fois parvenue à Mount Eliza. Il sourit en songeant que sa curiosité avait fini par l'emporter. Quelle femme aurait résisté ? Bien sûr, elle voulait s'assurer qu'il la suivait toujours. Peut-être même le souhaitait-elle ?

A sa suite, il enfila les rues étroites du village puis descendit une impasse tortueuse avant de s'arrêter enfin devant une maison de bois vert pâle dont la véranda était ornée d'une frise découpée peinte d'un vert plus soutenu. Au-dessus de la porte était gravé le nom de la maison : « Wandin Cottage ». Le jardin, qu'ombrageaient de vieux eucalyptus au feuillage ambré, débordait de fleurs, les ombellifères argentées se mêlant aux massifs chatoyants en un savant désordre.

Maeve s'était garée et était entrée dans le cottage, refermant la porte derrière elle.

Un instant plus tard, Will faisait résonner le heurtoir de cuivre. Cinq minutes s'écoulèrent sans que quiconque vienne lui ouvrir.

Finalement, Art arriva. Soigneusement peigné, il portait un T-shirt blanc impeccable sur un pantalon de travail.

Will eut soudain la désagréable impression de se trouver dans la peau d'un gamin de seize ans face à son père. Malgré son statut d'employeur, il avait en effet deviné l'intérêt très paternel qu'Art lui portait depuis le début, et même décelé — ou imaginé — son sentiment de fierté à l'égard du jeune homme entreprenant qu'il était. Mais aujourd'hui, Art était un homme soucieux, fâché contre son fils préféré.

Will passa une main dans ses cheveux, puis boutonna le dernier bouton de sa chemisette.

— Bonjour, Art. Comment allez-vous ?

Son visage ridé accusait la fatigue, mais c'est d'un ton amical qu'il répondit :

— Bonjour. Que puis-je faire pour vous ?

— Je suis venu voir Maeve. Je ne sais pas si elle vous en a parlé, mais elle a fait un devis pour mon jardin l'autre jour et j'aimerais en discuter avec elle.

61

— Elle m'a dit qu'elle avait tout annulé, répondit Art visiblement embarrassé. Je voudrais vous faire mes excuses pour elle, Will. J'ai essayé de lui expliquer que son travail et le mien étaient deux choses différentes, elle n'a rien voulu entendre.

Incroyable! Art n'était pas furieux contre lui; il était tourmenté par la réaction de sa fille. Ou peut-être, était-il en colère, mais dans ce cas il refusait de laisser libre cours à ce sentiment. Will n'aurait jamais dû venir, forcer leur intimité, imposer sa présence à un homme si bienveillant. Mais il était maintenant difficile de partir.

— Pourrais-je lui parler?

— Je ne sais pas si cela servira à quelque chose, mais vous pouvez toujours essayer, dit Art en s'effaçant pour le laisser entrer. Elle est dans le jardin de derrière.

Le hall était frais. Will nota au passage le papier peint floral et les planches de botanique suspendues ici et là. Dans la cuisine, un journal était resté ouvert sur la table; le titre de la rubrique, en caractères gras, lui sauta littéralement aux yeux : « Emplois ». Il ne put s'empêcher de jeter un coup d'œil à Art avant de pousser la porte vitrée qui s'ouvrait sur le jardin.

Maeve, le corps penché en avant, les bras tendus, s'efforçait d'atteindre une longue tige, presque hors de portée, qui ployait sous le poids d'une lourde corolle pourpre. Une pivoine. Instantanément, revint à Will le souvenir du jardin de sa grand-mère.

— Hello! dit-il pour s'annoncer.

Faisant mine de ne pas l'avoir entendu, Maeve déposa avec précaution la fleur épanouie dans un panier à ses pieds.

Will n'aurait su nommer toutes les fleurs qui poussaient dans le jardin de Maeve. Il y en avait trop, et surtout une trop grande variété pour qu'il pût identifier ne serait-ce que la moitié. Des coloris les plus vifs aux nuances les plus subtiles, elles s'offraient au regard où qu'il se posât; en plates-bandes le long de la palissade, jaillissant d'énormes bacs ou débordant de suspensions accrochées dans la véranda. Près de la balancelle ancienne de bois sculpté était planté un jardin aromatique et, de l'autre côté du jardin, près du garage, il apercevait une pépinière miniature, et une serre derrière la haie.

— Votre jardin est magnifique, dit-il, impressionné.

— Qu'est-ce que vous voulez? demanda-t-elle d'un ton agressif en pointant son sécateur dans sa direction.

— Un procès équitable, pour commencer.

— Vous m'avez poursuivie à travers toute la presqu'île simplement pour me convaincre, que, malgré les apparences, vous êtes un type formidable? Que vous n'êtes qu'une victime des lois de l'économie mondiale? Ecoutez, j'ai entendu ce discours des dizaines de fois et j'en ai plus qu'assez. Quand on croit en quelque chose, on se bat pour le défendre.

— Ce n'est pas si simple, commença-t-il, vous voyez...

— Epargnez-moi vos belles paroles, le coupa-t-elle d'un air indifférent tout en se retournant vers le massif de pivoines dont elle coupa une fleur fanée. D'ailleurs, pourquoi vous soucieriez-vous de mon opinion?

Bonne question. A laquelle il ne se sentait pas en mesure de répondre pour le moment.

— Je veux que vous vous occupiez de mon jardin, rétorqua-t-il en brandissant le devis. Vous avez signé un contrat.

Et tout à coup, il se rendit compte que lui aussi avait eu un contrat, avec Art. Un contrat conclu avant Noël, et qui aurait dû courir dix mois encore. Elle lui lança un regard sarcastique comme si elle avait lu dans ses pensées.

— Dans ce cas, engagez des poursuites.

— Je vous paierai le double.

Il la vit hésiter et en éprouva un bref sentiment de triomphe, jusqu'à ce qu'il se rappelle que, s'ils se retrouvaient dans le besoin, c'était uniquement par sa faute.

Elle ramassa son panier et, le tenant à deux mains contre sa poitrine tel un rempart, lui jeta un regard hautain.

— Votre entreprise est à deux doigts de la faillite et vous pourriez vous permettre de doubler mes gages? Comment est-ce possible?

— Cela ne vous regarde pas.

Will aperçut fugitivement le visage d'Art à la fenêtre de la cuisine.

— Le respect ne s'achète pas, poursuivit Maeve. Je n'accepterais pas votre maudit argent, même si je devais mourir de faim.

Elle fouilla dans ses poches, en ressortit un petit carnet duquel elle arracha une page et gribouilla quelque chose. Puis elle lui tendit la feuille.

— Juste pour vous dépanner, voici l'adresse d'un collègue, Peter Davies. Il fera du bon travail.

Sans y jeter un coup d'œil, il chiffonna le papier. Il la voulait, elle. Il voulait la magie qu'elle lui avait promise. Et bien qu'il lui fût pénible de l'admettre, elle avait raison: il ne voulait pas être considéré, du moins par elle, comme un homme malhonnête et sans scrupule.

N'était-il pas en train de perdre tout sens des proportions? Parce que le contrôle de sa compagnie lui échappait, il essayait désespérément de maîtriser les autres aspects de sa vie. Il se contraignit à défroisser le morceau de papier et le replia soigneusement avant de le glisser dans sa poche. Après tout, ni son jardin ni Maeve ne méritaient qu'il leur attache autant d'importance.

— Je dois parler à votre père avant de partir, dit-il.

Il était sur le point de tourner les talons, quand il remarqua un panneau solaire appuyé contre le mur de la remise.

— Qu'est-ce que c'est? interrogea-t-il.

Elle haussa les épaules, et répondit de mauvais gré :

— Une expérience en cours. Mon père essaie de trouver un moyen d'augmenter la production d'énergie de ce panneau solaire afin que je puisse chauffer de plus grandes quantités d'eau. Il n'a pas eu beaucoup de chance jusqu'ici.

— La surface est trop petite pour fournir un rendement important, observa-t-il en se penchant sur la batterie douze volts alimentée par le panneau. Pourquoi n'en utilisez-vous pas un plus grand?

— Trop cher.

— Expliquez-moi le principe de l'expérience.

— Laissez tomber. C'est juste une idée que j'ai eue pour essayer d'aider mon amie Rose. Elle cultive des plantes hydroponiques.

— Dites-moi. Je pourrais être de quelque utilité.

— J'en doute, maugréa-t-elle. Oh, bon, reprit-elle, comme il restait silencieux. Vous savez que les hydroponiques poussent non pas dans la terre, mais dans l'eau, celle-ci apportant tous les nutriments nécessaires en baignant les racines.

Will acquiesça du chef.

— Eh bien, mon expérience a pour but de déterminer la température exacte à laquelle doit être chauffée la solution hydroponique pour obtenir la production optimale. Je veux tester la croissance d'une variété de plantes à trois températures différentes.

— Cela semble prometteur. Comment régulez-vous la température de l'eau?

— C'est bien là le problème, dit-elle l'air préoccupé. Je ne dispose pas de la technologie qui me permettrait de produire trois températures distinctes en même temps, ce qui est indispensable si je veux m'assurer que...

— Les autres paramètres qui peuvent influencer la croissance sont les mêmes pour toutes les plantes, acheva-t-il à sa place. J'ai compris.

Il retourna la boîte de contrôle dans sa main. C'était exactement le genre de problème auquel il adorait s'attaquer.

— Si vous me laissiez emporter ça dans mon atelier, je pourrais faire quelques essais, proposa-t-il.

— Non merci, dit-elle rapidement en lui reprenant l'objet des mains. Au revoir.

— Vous êtes sûre ?

— Absolument.

Après un dernier coup d'œil déçu au panneau solaire abandonné, il se dirigea vers la maison, frappa à la porte de la cuisine, puis entra.

Art leva les yeux de son journal, nullement décontenancé d'être surpris en train d'éplucher les petites annonces.

— Vous avez obtenu ce que vous vouliez ?

— Euh... non.

— Attendez-vous toujours au pire et vous ne serez jamais déçu, dit Art, l'air sombre.

— Je ne partage pas votre point de vue, bien que je puisse le comprendre. Ne dit-on pas qu'à quelque chose malheur est bon ? remarqua Will. J'avais l'intention de vous voir demain, au travail, pour vous faire une offre que, j'espère, vous accepterez, mais nous pourrions peut-être en parler maintenant. Qu'en pensez-vous ?

— D'accord. Est-ce que cela concerne Maeve ?

— Je suppose que oui. Indirectement.

66

— Dans ce cas, je l'appelle. Je vous offre une bière ?

— Volontiers, merci.

Art sortit du réfrigérateur deux bouteilles de verre épais et les posa sur la table.

— Je la fais moi-même, dit-il.

— Ah ! dit Will, surpris.

Will avait remarqué la nuance de satisfaction dans le ton d'Art. De toute évidence, il éprouvait beaucoup de plaisir à brasser sa bière lui-même, et en goûtait par avance la saveur amère. Soudain le téléphone sonna.

— Allô ! Oui, une minute, s'il vous plaît, répondit Art en s'approchant de la porte vitrée, autant que le fil de l'appareil le lui permettait. Maeve ! Téléphone !

Maeve rentra, posa son panier sur le comptoir et prit le combiné des mains de son père en évitant le regard de Will. A peine eut-elle échangé quelques paroles avec son interlocuteur que son visage pâlit. Puis elle baissa la voix et s'éloigna le plus possible de l'endroit où ils étaient assis, leur tournant le dos.

— Versez avec précaution, conseilla Art feignant de ne rien remarquer. Il y a du dépôt au fond de la bouteille.

— J'en ai fabriqué moi aussi quand j'étais étudiant, dit Will en inclinant son verre avant de le remplir doucement et de le lever dans la lumière. Belle couleur ambrée. C'est une bière de blé, n'est-ce pas ?

— Connaisseur, hein ? constata Art avec un plaisir évident.

— Passionné, renchérit-il, avant de demander à brûle-pourpoint, tout en jetant un bref coup d'œil aux épaules raides de Maeve : Quelle est votre équipe de foot préférée ?

— Les Collingwood Magpies. Comme mon père et mon grand-père avant moi.

— Moi, je suis un fan des Carlton Blues, dit-il en levant son verre. Mmm, délicieuse...

67

Art approuva silencieusement, mais Will put voir, à son sourire forcé, que lui aussi était conscient de la tension de Maeve.

— C'est son ex-mari, expliqua Art à voix basse.

— Nous devrions la laisser...

Maeve raccrocha brusquement.

— Tout va bien, ma chérie ? demanda Art en se tournant vers elle.

Les traits tirés, le regard dur, elle acquiesça d'un mouvement de tête et, après avoir jeté un coup d'œil au verre presque plein de Will, répondit laconiquement :

— Je retourne dans le jardin.

— Will a quelque chose d'important à me dire. J'aimerais que tu restes.

— Une autre mauvaise nouvelle ? demanda-t-elle d'un ton amer.

— Maeve, je t'en prie...

— Ce serait aussi bien que vous entendiez ma proposition, intervint Will. Art voudra en débattre avec vous de toute façon.

Elle alla chercher une bouteille d'eau minérale et s'assit près de son père. Puis, retroussant ses manches, elle s'accouda.

— Bien, de quoi s'agit-il ?

Will s'éclaircit la gorge et commença, s'adressant directement à Art :

— A Jakarta, nous allons avoir besoin de quelqu'un qui soit capable de montrer aux ouvriers le fonctionnement des machines et de superviser le démarrage de la production. J'aimerais beaucoup que vous soyez cette personne, Art. Ce ne serait qu'un contrat à durée déterminée, environ six mois. Mais cela repousserait d'autant l'échéance..., ajouta-t-il en esquissant un geste vers le journal.

Interloqué, Art s'adossa à sa chaise.

— Moi ? Travailler en Indonésie ? Est-ce que tu peux imaginer ça, Maeve ?

— Pas une seconde ! Art a une maladie de cœur, dit-elle d'une voix indignée en posant ses yeux furieux sur Will. Le climat le tuerait. Et puis, il n'a jamais quitté son pays.

— Mon intention est de l'aider, pas de lui faire du tort, dit Will froidement.

D'accord, elle était encore bouleversée par la conversation qu'elle avait eue au téléphone, mais ce n'était pas une raison pour s'en prendre à lui.

— Vous croyez vous racheter en lui offrant ce travail et vous espérez sans doute aussi que je changerai d'avis pour votre jardin !

— Quel homme d'affaires irait offrir un salaire à un homme dans l'unique dessein que sa fille accepte de tailler quelques buissons ? railla-t-il.

— Tailler quelques buissons !

— Calmez-vous, tous les deux, les interrompit Art en levant une main pacifique. Maeve, tu n'as pas besoin de me protéger. Will, je suis touché par votre proposition, mais elle a raison, je suis trop vieux pour traverser les océans.

— Nous nous chargeons de votre logement. Air conditionné, bien sûr. Et de la voiture ; peut-être pourrons-nous même vous fournir un chauffeur.

Mais Art secouait la tête, ses sourcils noirs froncés.

— Non, Will. Ce n'est pas un travail pour moi. Demandez plutôt à John Knowles, je crois bien qu'il parle un peu la langue.

— Knowles est un bon contremaître, mais il ne possède pas votre expérience.

— Désolé, je ne peux pas, répéta Art obstinément.

— Ne refusez pas tout de suite. Prenez le temps de réfléchir, dit Will, comprenant qu'il n'obtiendrait rien d'aucun des deux, ce jour-là.

— Vous perdez votre temps, dit Maeve.

— Ce sont des choses qui arrivent quand on est complètement dépassé par les événements, répondit-il en lui adressant un sourire froid. Merci pour la bière, Art, ajouta-t-il en se levant.

— Vous pensez vraiment réussir à démarrer l'usine de Jakarta dans trois mois ? demanda Art en le raccompagnant, tandis que Maeve les suivait en silence.

— Les locaux que nous envisageons d'acquérir abritaient une fabrique de jouets électroniques ; nous pourrons conserver une grande partie du matériel et des machines.

Il s'abstint de préciser qu'une main-d'œuvre qualifiée, mais peu exigeante sur la question des salaires, se trouvait également sur place.

— Pensez à ce que je vous ai dit, nous en reparlerons, conclut-il en s'installant dans la Mercedes.

Comme il bouclait sa ceinture, Maeve s'avança et se pencha vers la vitre ouverte.

— Dites bien à Peter de s'occuper de cet arbre à côté du bungalow, recommanda-t-elle. Sinon les racines finiront par causer des dégâts.

— Je dormirais beaucoup mieux si vous acceptiez de faire le travail vous-même.

Elle ne fit aucun commentaire.

— Prenez soin d'Art, dit-il en débloquant le volant.

— Bien sûr.

L'inquiétude s'était peinte sur le visage de Maeve. Il mit le moteur en marche, songeant que c'était peut-être la dernière fois qu'il la voyait, puis libéra la pédale de frein, mais ne se décida pas à embrayer.

— Vous étiez très pâle tout à l'heure au téléphone... Vous avez des problèmes avec votre ex-mari ?

— Non. Pas du tout.

Il soupira longuement en la regardant tortiller l'extrémité de sa natte.

— Je sais que vous ne me croyez pas, mais je me fais vraiment du souci pour Art.

— En effet, je ne vous crois pas, dit-elle en s'éloignant.

Sur ces paroles définitives, il démarra brutalement. Au bout de l'allée, il l'aperçut dans le rétroviseur. Elle se tenait debout, immobile, regardant dans sa direction. Puis elle disparut de sa vue.

Entendu, Maeve n'était pas pour lui. Il devait se rendre à l'évidence et reprendre le cours de sa vie, comme si rien ne s'était passé, même s'il avait du mal à admettre qu'elle ne lui ait pas donné la moindre chance.


Durant les jours qui suivirent, lentement, presque à son insu, une idée s'immisça dans son esprit. Au début, lorsqu'elle venait distraire son humeur morose, il s'efforçait de la balayer en se disant que ça ne marcherait jamais. Mais elle revenait de manière insistante, et peu à peu il cessa de la juger comme une absurdité, la considérant bientôt comme la solution à tous ses problèmes, et à ceux d'Ida, au point qu'il en arriva même à se demander pourquoi il n'y avait pas songé plus tôt. Après tout, Ida était son amie depuis vingt-cinq ans, il aurait fait n'importe quoi pour elle, et lui aussi désirait des enfants.

Ainsi, cinq jours après sa visite à Maeve, Will prit le chemin de Mornington en sortant du bureau. Parvenu devant l'élégant ensemble d'habitations en bordure de mer où Ida résidait, il se gara le long du trottoir. La BMW noir métallisé était là.

— Bonjour, Will!

Elle l'accueillit avec un sourire, mais il remarqua qu'une ombre planait au fond de ses yeux. Sans doute redoutait-elle qu'il ne soit venu lui expliquer les raisons de son refus.

— Eh bien? Qu'est-ce qui me vaut l'honneur de ta visite? demanda-t-elle d'un ton faussement détaché.

— J'ai bien réfléchi à ce que tu m'as demandé, Ida, et je suis venu t'annoncer que je serai heureux d'être le père de ton enfant.

Un sourire de soulagement apparut sur le visage de la jeune femme.

— Oh, merci, Will. Merci infiniment.

Puis, soudain, son visage se ferma de nouveau. Elle fronça les sourcils.

— Attends un peu. Pourquoi acceptes-tu maintenant, après tout ce que tu m'as dit l'autre jour pour me convaincre qu'un enfant avait besoin de ses deux parents?

— Justement. J'ai une suggestion à te faire qui surmonte cet obstacle et qui sera bénéfique pour nous deux.

Son projet n'avait rien à voir avec la culpabilité qu'il éprouvait à son égard. Il ne savait même pas comment ni pourquoi il avait soudain jailli dans son esprit. Mais avant d'être tenté de trop s'attarder sur la question, il s'empressa de déclarer:

— Toi et moi nous allons nous marier.

— Tu es devenu fou? s'exclama-t-elle en riant. Nous sommes amis!

— Et c'est la raison pour laquelle cela marchera. Nous ne risquons pas de nous apercevoir un matin que nous ne sommes plus amoureux l'un de l'autre et nous ne nous ferons jamais de mal.

Il se souvenait trop bien la manière dont Maree et lui

s'étaient déchirés, quand leurs points de vue avaient divergé. Elle souhaitait s'installer à Sydney, mettant en avant sa carrière, tandis qu'il aspirait à fonder une famille...

Il s'assit sur le canapé du salon et se pencha en avant, les mains croisées.

— Nous sommes tous les deux des personnes de bon sens, pragmatiques, et ni l'un ni l'autre n'attendons le grand amour.

Ida s'assit en face de lui et, jouant avec l'anneau d'argent qu'elle portait à la main droite, murmura :

— Ça paraît triste, présenté comme ça.

— Pas du tout, protesta-t-il avec conviction. Cela signifie seulement que nous avons dépassé le stade des rêves ingénus et chimériques et leur cortège de désillusions.

— Pour atteindre celui de... l'ennui ? demanda-t-elle, l'air sceptique.

— Et moi qui pensais être cynique !

— Mais tu l'es, rétorqua-t-elle dans un rire. Et c'est sans doute en partie pour ça que nous nous entendons si bien. Mais tu évoques une perspective tellement dénuée de passion, de surprise. Où est le mystère dans tout ça ?

— C'est la beauté de la chose. Nous nous connaissons depuis si longtemps qu'il n'y aura pas de surprise.

— Tu cherches à m'embrouiller avec ta logique... Il est vrai que j'ai renoncé à attendre le prince charmant, mais toi, tu peux encore tomber amoureux. Pas de moi, bien sûr. Pas après toutes ces années d'amitié. Es-tu absolument certain de vouloir faire un mariage de convenance ?

Will eut soudain devant les yeux le visage de Maeve. Il repoussa sa chaise et se mit à arpenter le salon, écartant l'un après l'autre les sentiments qui s'emparaient de lui quand il pensait à leur rencontre manquée. La jeune femme l'attirait irrésistiblement. Mais il ne l'intéressait pas, elle avait été explicite à ce sujet.

— J'ai essayé, tu sais, dit-il finalement. Chaque fois que je suis sorti avec une femme depuis ma rupture avec Maree, je me suis dit : « C'est peut-être elle que j'attends. » Chaque fois, j'ai été déçu. Je suis sans doute trop exigeant. Ou bien, je ne me suis pas trouvé au bon endroit quand il le fallait. Je ne sais pas.

— Peut-être es-tu trop rationnel, suggéra Ida. L'amour est un sentiment que l'on ressent au plus profond de soi. Il ne découle pas logiquement d'intérêts ou de goûts communs.

— Ce qu'il y a, c'est que je veux des enfants avant d'être devenu vieux. Et, sentiment amoureux mis à part, je tiens à toi plus qu'à quiconque. Je regrette qu'il ne puisse pas s'agir d'autre chose que d'amitié entre nous, mais je te promets que je ferai tout ce qui est en mon pouvoir pour être un bon partenaire.

— Je te crois, Will, dit Ida les larmes aux yeux. Et je vais te prendre au mot avant que tu ne changes d'avis. Et avant que je n'aie moi-même le temps de réfléchir à la folie que tu me proposes.

— Ce sera le plus beau cadeau qu'on m'ait jamais fait, murmura-t-il en s'approchant d'elle.

Il l'attira à lui et la serra dans ses bras dans une étreinte chaleureuse et fraternelle. Ida serait une agréable compagne. Sans doute ne goûterait-il pas la passion dont il avait un jour rêvé, mais leur mariage serait solide et stable.

— Nous pourrions opter pour une union libre, proposa-t-elle d'un ton incertain. Les occasions sont quasi inexistantes de mon côté, en revanche il peut t'arriver de te sentir attiré par d'autres femmes.

C'était probable, il devait le reconnaître. Cependant,

l'idée ne le séduisait pas. Il avait toujours eu du mariage une conception traditionnelle : un homme, une femme vivant ensemble dans la fidélité et la confiance.

— Une autre possibilité, poursuivit-elle comme il ne répondait pas, serait d'avoir... des rapports physiques amicaux.

— Je savais bien que c'était mon corps qui t'intéressait ! s'exclama-t-il en éclatant de rire. Soyons sérieux ! Quel que soit le mode de vie que nous choisirons, il faut qu'il convienne parfaitement à chacun de nous.

Elle opina du chef silencieusement et il essuya d'un doigt léger une larme qui séchait sur sa joue. Auraient-ils d'abord un garçon ? Ou une fille ? Cela n'avait vraiment aucune importance. Soudain, à la seule pensée d'avoir bientôt un enfant, il se sentit euphorique. Il venait juste de trouver la vague parfaite et glissait sur sa crête, grisé.

— Quand nous marions-nous ? demanda Ida, les yeux brillants. Il va falloir que j'achète une robe, que j'envoie des invitations... A moins que tu n'aies pas envie d'un vrai mariage ? ajouta-t-elle d'un ton inquiet, après s'être brusquement interrompue.

Will n'avait pas d'avis sur la question, mais il se rendit compte qu'Ida était loin de partager son indifférence. Elle désirait une cérémonie et il se ferait un point d'honneur de la lui offrir.

— Tout ce que tu voudras, la rassura-t-il. La réception pourrait avoir lieu dans mon jardin.

— Oh, oui. J'adorerais.

— Bien. Que dirais-tu de la fin de l'été ? Ah, mince !

— Qu'y a-t-il ?

Il se frotta le front puis repoussa ses cheveux en arrière.

— Maeve m'a laissé tomber. Elle est furieuse parce que j'ai licencié son père et tous mes employés.

— Oh, Will. L'usine m'était sortie de l'esprit un moment. Comment cela s'est-il passé?

— Plutôt mal, répondit-il en soupirant. Mais ne t'inquiète pas à propos du jardin. J'ai les coordonnées d'un autre paysagiste.

— Je ne comprends pas. Tu m'avais dit que Maeve avait déjà dessiné un projet. Nous allons perdre un temps fou si quelqu'un d'autre s'en occupe. Crois-tu que si je lui parlais...

— Non, inutile, s'empressa-t-il de répondre.

Quelle opinion aurait Maeve de lui si elle apprenait qu'il se fiançait quelques jours à peine après lui avoir demandé de sortir avec lui? Non que cela soit d'une telle importance, mais tout de même...

— Tu es sûr? insista Ida. Je pense vraiment que je pourrais l'amener à revenir sur sa décision. Après tout, elle n'est pas brouillée avec moi.

— Je t'en prie, ce n'est pas la peine. Je trouverai un autre jardinier, dit-il tout en jetant un coup d'œil à la pendule murale qui lui rappela qu'il n'avait pas encore lu les documents indonésiens. Je vais devoir te laisser, le travail m'attend.

Il s'apprêtait à sortir, la main posée sur la poignée de la porte d'entrée quand une question s'imposa à lui. Il s'éclaircit la gorge, stupidement embarrassé tout à coup, et demanda :

— Euh... quand désires-tu mettre le bébé en route?

Elle rit et ses joues rosirent.

— Puisque nous allons nous marier, pourquoi ne pas attendre que la cérémonie ait eu lieu?

— Tu as raison, approuva-t-il en s'efforçant de ne pas laisser paraître son soulagement.

Faire l'amour avec elle serait une expérience étrange,

presque incestueuse et, apparemment, elle appréhendait ce moment autant que lui. Beaucoup de choses entre eux restaient encore à éclaircir, mais ils y parviendraient.

Parce qu'ils étaient amis.

# 5.

L'arrosoir à la main, Maeve cheminait lentement le long des étroites rangées de pots qui contenaient les plantes annuelles. Elle s'arrêtait auprès de chacune, l'arrosait, arrachait les mauvaises herbes. Les pétunias violets panachés de blanc et les pensées jaunes auraient été du meilleur effet dans les vasques qui encadraient l'escalier devant la maison de Will. Sauf que... elle n'allait pas travailler pour lui.

Un bruit de pas dans l'allée lui fit lever la tête. A l'angle de la maison venait d'apparaître la femme au visage abîmé qu'elle avait aperçue chez Will. Elle portait ce jour-là une robe de lin prune et des escarpins assortis qui soulignaient son hâle.

— Bonjour, dit la jeune femme en s'avançant. Votre père m'a dit que je vous trouverais dans le jardin. Je suis Ida, la fiancée de Will Beaumont.

La fiancée? Maeve se raidit sous la surprise.

— Je ne savais pas qu'il était fiancé.

— Ç'a été assez soudain, reconnut Ida, en tougissant. Mais nous nous connaissons depuis des années.

Une vague de jalousie envahit Maeve. L'idée perfide de parler de l'invitation à dîner que Will lui avait faite la semaine précédente la traversa, mais elle la repoussa aussitôt. Pourquoi irait-elle créer des problèmes ?

— Félicitations, réussit-elle à articuler. Que puis-je faire pour vous ?

— Will m'a dit que vous aviez renoncé à travailler pour lui. Il a l'intention de faire appel à un autre paysagiste, mais je tenais à vous voir pour vous demander de reconsidérer votre décision. Il ne sait pas que je suis ici, ajouta-t-elle après une pause. En fait, il ne voulait pas que je vienne. Mais je sais qu'il tient énormément à ce que ce soit vous qui vous occupiez de son jardin.

Maeve posa son arrosoir à terre. Le fait d'avoir rompu son contrat lui avait laissé une sensation de malaise, que la réprobation tacite d'Art s'était chargée d'accentuer. Et maintenant, Ida. Elle s'entendit proposer :

— Que diriez-vous d'une boisson fraîche ?

— Oh, volontiers. Il fait une telle chaleur ! répondit Ida en soulevant la masse de ses cheveux ondulés.

— Oui, je passe beaucoup de temps à arroser ces temps-ci, dit Maeve en se dirigeant vers le garage où était installé un petit réfrigérateur. Asseyez-vous donc.

Lorsque Maeve revint avec deux bouteilles d'eau minérale aromatisée, Ida était installée sur le vieux banc de bois.

— Je suis vraiment désolée pour votre père. Vous savez, Will est très affecté par cette fermeture.

Maeve fixait le sol, silencieuse. Peut-être avait-il quelques soucis pour le moment, mais il aurait toujours un emploi, lui, et un salaire, quand les choses seraient rentrées dans l'ordre.

— C'est vraiment un garçon formidable, continuait Ida. Généreux, gentil. Loyal. Je me souviens du bal de remise des diplômes à l'université ; il a refusé l'invitation d'une fille qu'il aimait beaucoup pour s'y rendre avec moi parce que je craignais de me retrouver seule.

Maeve se répétait que ce même homme dont Ida chantait les louanges l'avait invitée, elle, à dîner, une semaine seulement avant de faire sa demande en mariage. Malgré cela, sa colère s'amenuisait. Un homme aussi éblouissant que Will aurait très bien pu choisir sa femme en fonction de sa beauté. Cependant, il avait privilégié le caractère et la personnalité...

— Ainsi, vous étiez déjà ensemble à cette époque? s'enquit Maeve, perdue dans la chronologie des événements.

Ida parut embarrassée.

— Non, dit-elle lentement. A vrai dire, nos fiançailles sont toutes récentes.

— Depuis quand vous connaissez-vous?

— Depuis l'enfance. Nous étions assis l'un à côté de l'autre au cours élémentaire, raconta-t-elle tandis qu'un sourire flottait sur ses lèvres. Nous nous disputions souvent parce que Will me piquait tout le temps mes crayons. Et puis, un jour, un garçon plus âgé s'en est pris à moi et Will m'a défendue, récoltant un œil au beurre noir dans la bagarre. Le lendemain, je lui faisais cadeau d'une pochette de crayons de couleur. Ç'a été le début de notre amitié.

— C'est une belle histoire, commenta Maeve. En somme, c'est celle des amis de toujours qui réalisent un beau matin que le lien qui les unissait s'est mué en un sentiment d'une tout autre nature.

— Euh... quelque chose comme ça, bafouilla Ida en détournant légèrement le visage.

Maeve n'arrivait pas à déchiffrer l'expression d'Ida, non seulement parce qu'elle n'osait pas poser son regard de façon insistante sur sa cicatrice, mais aussi parce que la jeune femme avait, de toute évidence, appris à dissimuler ses sentiments.

— Comment est-ce arrivé ? demanda Maeve en effleurant sa propre joue. Si je puis vous poser la question.

— Je préfère que les gens m'en parlent franchement, dit Ida en la regardant dans les yeux, plutôt que d'ignorer soigneusement ma cicatrice. J'ai été brûlée par l'huile bouillante d'une friteuse. Cela aurait pu être bien pire. Heureusement, Will a fait les gestes d'urgence et appelé les secours qui sont arrivés très vite. Je lui dois beaucoup.

Maeve, quant à elle, ne lui devait rien, mais elle aimait bien Ida.

— Comment imaginez-vous votre futur jardin ?

Un drôle de sourire asymétrique éclaira le visage d'Ida, dévoilant un charme supplémentaire dont elle-même était probablement inconsciente lorsqu'elle se regardait dans un miroir.

— Pour moi, le jardin idéal serait constitué de béton vert, d'arbres artificiels et habité de lutins de plâtre. Bref, un endroit qui ne réclamerait aucun entretien. Je suis un cas désespéré en ce qui concerne le jardinage, dit-elle en haussant les épaules d'un air impuissant.

— Eh bien, il semble que Will et vous fassiez la paire ! s'exclama Maeve. Ce que j'avais en tête pour son jardin tenait compte de cette exigence. J'assure, d'ailleurs, un entretien trimestriel pour certains clients. Je prépare la terre avant les plantations, je m'occupe de la taille des haies et des arbres.

— Cela signifie-t-il que vous avez changé d'avis ?

— Peut-être, répondit Maeve avec un sourire.

— Je ne sais pas si Will vous en a fait part, mais nous projetons d'avoir des enfants rapidement, dit alors Ida d'une voix hésitante.

— Il m'a laissé entendre, en effet, qu'il désirait fonder une famille. Le jardin devra offrir des zones conçues spécialement à l'intention des petits.

— Vous devez beaucoup aimer les enfants, observa Ida.

« Comment diable est-elle parvenue à cette conclusion ? » songea Maeve, décontenancée. Elle dut faire un effort pour répondre d'un ton léger :

— Oui. Particulièrement ceux des autres.

— Oh, mais en avoir à soi doit être beaucoup mieux ! s'écria Ida en serrant les bras contre sa poitrine avec le regard rêveur d'un gosse devant un sapin de Noël. Je suis si impatiente !

Autrefois, Maeve avait éprouvé ce même désir impétueux. Sentant les larmes lui monter aux yeux, elle abandonna son fauteuil d'osier, ramassa son sécateur et se dirigea vers un énorme buisson argenté.

— Voulez-vous un peu de lavande ? proposa-t-elle.

— C'est superbe, mais que pourrais-je en faire ? interrogea Ida en se tournant vers elle.

— Vous la mettrez dans un vase, dans votre entrée, dit Maeve en coupant délicatement de longues tiges odorantes. Ou dans votre salle de bains. On peut aussi la boire en infusion ; c'est un vieux remède contre les maux de tête.

— Je ne crois pas avoir un vase assez grand, mais je vais la prendre quand même. Merci.

— Ce n'est rien. Aimeriez-vous aussi quelques dahlias ? J'allais les éclaircir de toute façon, ils en ont besoin.

— Non, je vous remercie. Je passe si peu de temps à la maison et puis, je n'ai pas assez de place pour les mettre en valeur.

— Vous aurez bientôt toute la place que vous désirez, dit Maeve.

Ida acquiesça. Pourtant, pour une jeune femme à qui tout semblait sourire, elle n'avait pas l'air tout à fait heureux. Quelque chose sonnait faux lorsqu'elle parlait de son mariage. A moins que l'imagination de Maeve ne soit trop prompte à s'emballer. Ida et Will semblaient partager un secret qu'elle aurait donné cher pour connaître.

En tout cas, une chose était certaine : il ne serait question ni de béton, ni d'arbres en plastique tant que Maeve aurait en charge le jardin de Will. Enfin, de Will et d'Ida.

Le samedi matin, Will fut brutalement tiré du sommeil par un vrombissement de moteur, immédiatement suivi d'un sifflement aigu, qu'il identifia aussitôt comme celui d'une tronçonneuse. Se redressant sur son lit, il jeta un coup d'œil au réveil posé sur la table de chevet. Il était à peine 8 heures.

D'ordinaire, le week-end, il se levait à l'aube. Il allait surfer dès 7 heures du matin et était de retour à 10 heures pour prendre son petit déjeuner. Mais la veille, sur un coup de tête, il s'était rendu au club de surf pour y boire une bière, se faisant l'effet d'être un célibataire endurci sur le point de renoncer à sa vie de garçon. Et aux femmes.

Après deux verres, dans un moment d'intense lucidité, il s'était rendu compte qu'il n'éprouvait pas la moindre nostalgie à l'idée de perdre sa liberté. En revanche, renoncer à Maeve avant même d'avoir essayé de gagner son cœur avait éveillé en lui un douloureux sentiment de désolation qui le poussa à boire plus qu'il n'aurait dû.

Ce matin, il en payait le prix. Sa bouche était sèche, et, quand le son strident d'une deuxième machine vint couvrir le bruit de la tronçonneuse, il eut l'impression que sa tête allait éclater. Le vacarme était si proche qu'il aurait aussi bien pu provenir de son propre jardin. Il sortit de son lit et s'approcha de la fenêtre.

Ça alors ! La personne qui maniait l'engin était sur le

toit de son bungalow ! Tournant le dos à Will, elle sciait les branches de l'eucalyptus et les laissait tomber dans une espèce de petite benne qui, dans un vrombissement suraigu, mâchait le bois pour le réduire en poussière.

Il n'avait pas donné son autorisation. Du reste, il n'avait pas encore eu le temps de contacter le paysagiste recommandé par Maeve. Elle avait dû l'appeler elle-même, mais le type ne manquait pas de culot de commencer le travail sans son accord.

Il se frotta les yeux et l'observa de nouveau. Il portait un pantalon de toile kaki à larges poches, des bottes de caoutchouc et un débardeur noir qui découvrait un dos bronzé et des bras... joliment musclés. De toute évidence, c'était une femme. Et, bien que ses longs cheveux noirs fussent cachés, il reconnut la silhouette de Maeve Arden.

Il s'écarta de la fenêtre et tenta de mettre de l'ordre dans son esprit : il se sentait à la fois irrité d'avoir été réveillé par ce bruit infernal, soulagé qu'elle eût finalement accepté de remplir son contrat, contrarié qu'elle n'eût pas jugé utile de le prévenir et heureux de savoir qu'il continuerait à la voir.

Il prit une douche rapide, enfila à la hâte un short et une chemise en coton bleu, s'arrêta au passage dans la cuisine pour avaler deux cachets d'aspirine et se précipita dans le jardin, bien décidé à obtenir d'elle quelques explications. Comme elle lui tournait le dos et ne risquait guère de l'entendre arriver, il fit le tour du bungalow afin de se trouver en face d'elle et cria :

— Bonjour !

Elle ne l'entendit pas. Et pour cause ! elle portait un casque et des lunettes de protection. Les lèvres pincées par la concentration, elle guidait la lourde tronçonneuse. Au moment où la branche fut sur le point de céder, d'un habile mouvement de poignet, elle la fit tomber dans le broyeur. Alors seulement, elle fit une pause pour se frotter le nez du revers de sa main gantée et le vit.

Fronçant les sourcils, elle coupa le moteur. Will attendit que l'autre engin eût achevé de pulvériser sa dernière victime et lança :

— Je croyais que vous ne vouliez plus travailler pour moi.

— J'ai changé d'avis, répliqua-t-elle en libérant ses longs cheveux de son chapeau pour s'essuyer le front.

Elle avait changé d'avis !

— C'est très féminin comme attitude.

A la réflexion, cette conversation pouvait bien attendre qu'il ait pris son petit déjeuner. Il fit demi-tour et s'éloigna.

— Une boisson fraîche serait la bienvenue, lança-t-elle dans son dos.

Le moteur de la tronçonneuse redémarra presque immédiatement, tandis qu'il se repliait dans la cuisine. Là, avec une vigueur inaccoutumée, il démoula des glaçons, en garnit une cruche qu'il remplit de jus de fruits. Il fit ensuite griller quelques tranches de pain au raisin, les beurra et emporta le tout dans le patio. Ayant avalé la moitié des toasts, et s'étant désaltéré, il se sentit un peu mieux. Suffisamment mieux, en tout cas, pour se mesurer à elle.

Mais lorsqu'elle grimpa les marches du patio, la peau brune de ses épaules luisant sous le soleil, il oublia les raisons de sa colère contre elle. La tête en arrière, elle but son verre d'un trait. Puis, comme elle tendait la main pour prendre une tranche de pain grillé, il poussa l'assiette vers elle.

— Je vous en prie, servez-vous.

Les coins de ses lèvres se relevèrent dessinant un sourire charmant et doux dans lequel il décela une pointe d'espièglerie.

— Avec plaisir, merci.

— Ainsi, dit-il en croisant les bras sur sa poitrine, la perspective d'être payée le double vous a finalement décidée ?

— Je suis ici pour honorer un contrat. Et parce que mon père, pour je ne sais quelle obscure raison, vous tient en haute estime. Je ne voudrais pas qu'il se rende malade simplement parce que je vous ai laissé tomber. De plus, continua-t-elle après une hésitation, Ida est venue me voir.

— Ah !

Désarçonné, Will ne sut que répondre. Ce qui n'avait d'ailleurs pas d'importance car Maeve s'était déjà levée.

— Je ne vous demanderai rien de plus que la somme établie par le devis.

Il opina du chef. Il s'en tirait bien. Mieux que bien.

— Et, ajouta-t-elle, vous trouverez un nouveau travail pour mon père. Pas en Indonésie, cela va sans dire.

Il resta muet et elle dut prendre son absence de réponse pour un consentement, car elle saisit un dernier toast et s'éloigna.

— Merci pour le petit déjeuner, dit-elle en arrivant en bas des marches.

Lors de leur première conversation dans le patio, il n'avait pas réussi à endiguer le flot de ses questions, et voilà qu'aujourd'hui, son style était on ne peut plus laconique.

— Est-ce que cela va devenir une habitude ? demanda-t-il en se levant à son tour pour la suivre. Je veux dire, travailler le samedi matin. J'aimerais savoir si je dois mettre des boules Quiès le vendredi soir.

— Désolée pour le bruit, répliqua-t-elle gaiement. Je rattrape le temps perdu. Il va falloir que je travaille quelques week-ends si je veux avoir terminé au début de l'été. Mais, rassurez-vous, une fois que j'en aurai fini avec les tailles, ce ne sera pas aussi bruyant.

— Je croyais que vous aviez un assistant pour les gros travaux.

— Tony aide ses parents en fin de semaine. Ils sont viticulteurs, expliqua-t-elle en glissant ses cheveux derrière ses oreilles d'un mouvement gracieux.

Soudain, Will eut envie qu'elle reste avec lui.

— Je vais aller mettre quelque chose de plus confortable et je vous donne un coup de main.

— Ce n'est pas nécessaire, dit-elle en torsadant ses cheveux pour les enfouir de nouveau sous son chapeau.

— Mais si. Vous savez, commença-t-il en cherchant désespérément une justification valable au fait qu'il voulait l'aider, Ida et moi nous nous marions dans quelques mois, et j'aimerais que le jardin soit superbe le jour de la cérémonie.

Elle le dévisagea.

— Qu'espériez-vous lorsque vous m'avez invitée à dîner l'autre soir ?

— C'était avant qu'Ida et moi décidions de nous marier.

Il aurait souhaité s'expliquer davantage, mais que dire qui ne ternisse pas l'image d'Ida ?

— Soit, vous pouvez m'aider. Je tiens à ce que le chantier avance, moi aussi. Il se peut que je parte un peu, à la fin de l'été.

Sur ce, elle fit volte-face et se dirigea à grands pas vers la pelouse. Will retourna à l'intérieur pour enfiler un pantalon et des bottes. Il prit un chapeau dans la buanderie, attrapa des gants et un sécateur puis rejoignit Maeve près du massif de rhododendrons. Elle l'attendait, armée d'une scie et d'une paire de cisailles.

— Je m'occupe des tailles délicates. Vous pouvez couper les branches mortes, dit-elle en lui tendant la scie. Ce sont celles qui cassent net au lieu de ployer.

— Je ne distinguerais peut-être pas un sépale d'une étamine, mais je suis en mesure de reconnaître une branche morte quand j'en vois une, rétorqua-t-il en prenant l'outil et en se mettant aussitôt à l'ouvrage.

Vingt minutes plus tard, il avait enlevé la moitié du bois mort dans le bosquet qu'elle lui avait montré, et la sueur dégoulinait entre ses omoplates. Se redressant pour essuyer son front, il demanda, traversé par une intuition subite :

— Vous partez en vacances... avec votre ex-mari, cet automne ?

— Il veut m'emmener aux îles Fidji, sur son voilier, répondit-elle le visage en partie dissimulé par les feuilles sombres des rhododendrons.

Un frisson de jalousie et de dépit le parcourut. Elle ressemblait à une de ces dryades protectrices des forêts, avec son teint mat et soyeux, ses yeux marron foncé et ses cheveux d'un noir d'ébène. Son visage n'était qu'à quelques centimètres du sien. Il n'aurait eu qu'à se pencher légèrement en avant pour l'embrasser. S'il en avait eu envie, bien sûr.

— Que fait-il dans la vie ? s'enquit-il, préférant rester en terrain neutre.

— Graham est médecin, dit-elle lentement. Quand notre fi... Quand notre mariage s'est brisé, il a plus ou moins abandonné son métier. Aujourd'hui, il passe le plus clair de son temps à naviguer dans le Pacifique Sud.

— Comment se débrouille-t-il financièrement ?

— Il accepte un remplacement pendant quelques mois, puis il reprend la mer jusqu'à ce qu'il n'ait plus d'argent. On n'a pas besoin de grand-chose quand on choisit ce style de vie.

— Et maintenant, il souhaite recommencer à vivre avec vous, hasarda Will. Allez-vous le suivre ?

— Je commence à penser que je devrais, répondit-elle en soutenant son regard.

Il avait dû se tromper quand il avait cru voir briller un éclair de désir dans ses yeux, ou quand il avait deviné un sous-entendu dans sa dernière remarque. En revanche, ses propres réactions ne laissaient pas de place au doute : son sang battait à ses tempes, sa respiration s'était accélérée. Ce n'était qu'une attirance physique, songeait-il pour se rassurer. Si l'occasion lui était donnée de la connaître mieux, il s'apercevrait probablement qu'elle avait toutes sortes de défauts. Ayant ainsi réussi à se débarrasser d'une sensation encombrante, il informa Maeve qu'il se chargeait de porter les branches coupées jusqu'au broyeur.

Lorsqu'il eut terminé, Maeve, un engin électrique à la main, commençait à égaliser le côté de la haie hérissé de jeunes pousses.

— Allez me chercher l'échelle dans l'utilitaire, s'il vous plaît, demanda-t-elle d'un ton parfaitement indifférent. Ensuite, vous pourrez rassembler les ramilles que je fais tomber.

Visiblement, elle s'amusait beaucoup.

— Bien, patron, fit-il, jouant le jeu.

— Vous avez dit que vous vouliez aider, fit-elle remarquer avec un sourire en coin.

— J'avais pensé à des tâches un peu moins déshonorantes.

— Nous en reparlerons lorsque vous aurez répandu le fumier, rétorqua-t-elle.

Il grimaça et s'en fut chercher l'échelle.


Ça faisait bien longtemps que Will ne s'était pas autant amusé. Deux soirs durant, une fois couché, il se remémora le plaisir qu'il avait eu à débroussailler et à arracher les plantes malades. Bien sûr c'était dû en partie à la présence de Maeve à son côté. A bien y songer, elle était même responsable à cent pour cent du bonheur qu'il avait éprouvé à jardiner même si elle n'avait guère levé le nez de ses plates-bandes.

Mais où cela allait-il les mener, Ida et lui ? Il ne pouvait pas l'épouser. Ce ne serait juste ni pour elle ni pour lui. Mais peut-être avait-elle réfléchi de son côté et renoncé à leur projet. Il pourrait toujours faire un don de sperme si elle le désirait. Et il l'accompagnerait aux cours d'accouchement sans douleur. Il ferait tout ce qui était en son pouvoir pour l'aider, excepté faire d'elle Mme Will Beaumont.

Le lundi, après le travail, au lieu de se diriger vers Sorrento au sud de la péninsule, il bifurqua avant l'accès à la voie rapide et s'engagea dans l'avenue principale de Mornington. L'étude d'Ida se trouvait à l'extrémité de la rue, juste avant le parc de stationnement situé en bordure de mer. Une situation dont il appréciait l'agrément lorsqu'ils improvisaient un déjeuner sur la plage, mais qui se révélait infernale lorsque, essayant d'arriver avant la fermeture du bureau, il était pris au piège dans les embouteillages, quotidiens en période touristique

Cependant, cette fois, il eut de la chance. Lorsqu'il poussa la porte de l'étude, Sally, la secrétaire d'Ida, leva le nez et dit en souriant :

— Vous arrivez juste à temps.

En effet, au même moment, Ida émergeait de son bureau, son sac à la main et un porte-documents apparemment bien rempli sous le bras.

— Will !

Son visage s'éclaira, puis, chose qui ne lui était jamais arrivée en le voyant, le rouge lui monta aux joues.

Cette réaction spontanée ne fit que conforter Will dans sa décision. Cette idée de mariage était une erreur : elle menaçait de détruire leur belle amitié. Et, Dieu merci, le projet n'était pas si avancé et ils pouvaient encore faire marche arrière.

— Bonjour, Ida. Tu as un moment pour aller boire un verre ? J'ai besoin de te parler.

Elle jeta un coup d'œil à sa serviette et fit la grimace, mais son hésitation fut de courte durée.

— J'ai pas mal de travail, mais ça ne fait rien, allons-y. Moi aussi, j'ai à te parler.

— De quoi s'agit-il ?

— Patiente un peu. Au revoir, Sally. A demain !

— Laisse-moi prendre ça, proposa-t-il quand il la vit essayer d'ouvrir la porte d'une seule main, tenant de son autre bras les deux sacs contre sa poitrine.

Il avait déjà saisi la serviette, mais elle se dégagea.

— Ça va, dit-elle. Ce n'est qu'au troisième trimestre qu'il est déconseillé de porter des choses lourdes.

— Pardon ?

Elle trottait déjà vers la place de parking qui lui était réservée non loin de là. Ayant enfermé son porte-documents dans le coffre de la BMW, elle se tourna vers lui, souriante, et suggéra :

— Es-tu partant pour le Seahorse ? J'ai une faim de loup.

— O.K.

Tranquillement, ils se dirigèrent vers le petit restaurant de bord de mer qui servait des plats méditerranéens.

— Tu sembles de bonne humeur, remarqua Will quelques minutes plus tard, lorsqu'ils furent installés à l'abri d'un parasol, sur la terrasse.

— J'ai une bonne nouvelle, dit-elle avec un large sourire.

— Est-ce que Rick a appelé?

Il ne pouvait imaginer une autre raison susceptible d'expliquer la joie qu'elle affichait. Mais à peine eut-il formulé la question qu'il se sentit coupable. Indéniablement, penser que Rick était revenu sur le devant de la scène le soulageait d'un grand poids.

— Mais non, voyons, s'exclama-t-elle en balayant de la main la suggestion. Une grande limonade, ajouta-t-elle à l'intention du serveur qui passait à côté de leur table.

— Une limonade? répéta-t-il, le sourcil levé.

Ida sourit d'un air avantageux et se plongea dans le menu.

— Je prendrai un verre de vin blanc, dit Will au serveur. Et mettez-nous deux portions de calamars pour commencer, s'il vous plaît. Alors, continua-t-il en se tournant vers Ida, quelle est cette bonne nouvelle?

— Toi d'abord. Tu voulais me dire quelque chose.

Il hésita devant son visage heureux. Cela n'allait pas être facile. Non seulement parce qu'il appréhendait sa réaction, mais aussi parce qu'il éprouvait soudain un immense sentiment de vide à l'idée de renoncer à fonder une famille.

— Honneur aux dames.

— Mais non, vas-y, commence.

— J'insiste.

— Oh, bon, d'accord, j'abdique. Je vais avoir un bébé.

Il déglutit péniblement. Ainsi sa position n'avait pas varié depuis l'autre jour.

— Oui. Tu veux parler de notre projet?

— Non, fit-elle en riant, je veux dire que j'attends un bébé.

Il la dévisagea sans comprendre.

— Je suis allée chez le médecin à l'heure du déjeuner, poursuivit-elle. Je suis enceinte.

— Enceinte! Comment est-ce possible? On ne s'est même pas embrassés!

— Ne me regarde pas avec cet air ahuri! Je ne suis pas la Vierge Marie, idiot.

— Mais alors, qui est le père?

La question sembla la faire revenir sur terre. Elle ne riait plus.

— Rick, bien sûr, répondit-elle, un sourire incertain aux lèvres. Il n'y a eu personne d'autre depuis longtemps.

— Et tu le lui as dit, n'est-ce pas?

Elle attendit que le serveur eût fini de prendre la commande et répondit d'un air ambigu:

— Je l'ai eu au téléphone.

— Tu lui as annoncé qu'il allait être père?

— Oui.

— Vraiment? Et qu'a-t-il dit exactement? demanda-t-il, confiant.

Il ne pouvait pas croire que Rick refuserait de reconnaître l'enfant et qu'il laisserait Ida se débrouiller seule.

— Qu'il avait été très occupé ces derniers temps, qu'il était désolé de n'avoir pas appelé plus tôt, qu'il espérait que je lui rendrais visite un de ces jours.

— Mais qu'a-t-il dit, à propos du bébé?

Agitant nerveusement la paille dans son verre, Ida baissa les yeux et finit par répondre d'un ton résigné:

— Il n'est pas prêt à avoir des enfants.

Will retint le juron qui lui venait aux lèvres et dit fermement:

— Donne-moi son numéro de téléphone. Je lui parlerai.

— Ne fais pas ça! s'écria-t-elle aussitôt avec véhémence.

— Pourquoi pas?

— Je... je ne veux pas me sentir davantage humiliée.

Oh! Will, reprit-elle en saisissant sa main sur la table, grâce à Dieu, je t'ai, toi. Ton amitié compte tellement pour moi. Et maintenant que je suis enceinte, je réalise pleinement combien tu avais raison quand tu disais qu'un bébé a besoin d'une mère et d'un père. Je ne veux pas élever cet enfant toute seule. Je te suis si reconnaissante et je suis si heureuse que nous ayons décidé de nous marier bientôt, continua-t-elle à travers ses larmes. Promets-moi, je t'en prie, que le fait que notre premier enfant ne soit pas de toi ne fera pas de différence.

Qu'aurait-il pu dire? L'idée qu'il pût la laisser tomber après ce qu'elle venait de lui apprendre n'avait même pas effleuré la jeune femme. Il n'était pas du genre à commettre un acte aussi méprisable. Désormais, il ne s'agissait plus d'hypothétiques projets. Ida avait désespérément besoin de lui, l'enfant également.

— Je te le promets, assura-t-il en serrant la main d'Ida dans la sienne. J'aimerai ce bébé comme si c'était le mien.

Et il le pensait sincèrement. Une aventure avec Maeve, en admettant qu'elle se laisse séduire, n'avait pas plus d'avenir que ses précédentes liaisons. Tandis qu'Ida et son enfant, leur enfant, allaient lui offrir la relation stable à laquelle il aspirait tant.

Un soulagement intense se lut sur le visage d'Ida.

— Oh, Will, je savais que tu ne m'abandonnerais pas. Tu verras, nous allons vivre une magnifique aventure, dit-elle en tirant un mouchoir de sa poche. En tout cas, je sais maintenant pourquoi j'ai été si émotive ces derniers temps.

— A quel stade en es-tu?

— Six semaines. En fait, je ne me suis pas inquiétée tout de suite parce que Rick et moi nous étions toujours protégés, mais, le troisième matin où j'ai été malade au bureau, Sally a couru m'acheter un test de grossesse. Il s'est révélé positif et, tout à l'heure, mon médecin a confirmé le diagnostic. Je suis bel et bien enceinte, conclut-elle d'une voix remplie d'excitation. Depuis, il me semble que je ne peux pas m'arrêter de sourire.

Elle affichait, en effet, une expression béate. Le serveur apporta leurs plats et elle saisit aussitôt sa fourchette, avec un appétit visible.

— Je passe une échographie la semaine prochaine, poursuivit-elle entre deux bouchées. Mercredi, à 2 heures. Crois-tu pouvoir venir ?

— J'ai un rendez-vous avec un fournisseur, mais je pense pouvoir le déplacer, répondit-il après avoir consulté son agenda. Je te tiendrai au courant. Peut-être devrions-nous nous marier dès maintenant, sans attendre que le jardin soit remis en état ?

— Est-ce vraiment nécessaire ? demanda-t-elle, l'air déçu. On ne devinera rien de ma grossesse avant plusieurs mois et j'aimerais tant célébrer l'événement chez toi ; la vue sur la baie est si belle.

— Tu as vraiment très envie d'une grande fête, n'est-ce pas ? se moqua-t-il gentiment. Je ne croyais pas que c'était le plus important dans un mariage.

— N'oublions pas les circonstances, Will, dit-elle d'une voix redevenue grave. Je suis vraiment très heureuse de fonder une famille avec toi, mais je sais que nos vœux ne seront pas ceux d'un couple d'amoureux.

La lucidité de sa remarque et son honnêteté lui coupèrent brièvement le souffle. Lui offrait-elle une porte de sortie ? C'était le moment ou jamais de lui faire part de ses doutes. Puis il se souvint du bébé.

— Cependant, reprenait-elle déjà, j'avoue que j'aime l'idée d'une fête. Que dirais-tu d'une soirée de fiançailles ?

Comme Will ne voyait pas de raison de s'y opposer, Ida, tout en dégustant sa moussaka, donna libre cours à son enthousiasme, dressant des listes d'invités, faisant des projets de décoration et de traiteur tandis que Will écoutait, acquiesçait.

Enfin, ayant apparemment fait le tour de la question, Ida, repue, s'adossa à sa chaise.

— Je ferais mieux d'y aller. J'ai tant de choses à faire, dit-elle en jetant un coup d'œil à sa montre.

Elle sortit son portefeuille et posa de l'argent sur la table. Will fit de même, puis ils rejoignirent ensemble le parking. Le soleil était bas à l'horizon, l'avenue semblait baignée d'une lumière mordorée, presque artificielle.

— Sur quoi travailles-tu en ce moment ? s'enquit-il.

— Comme d'habitude. Essentiellement des transmissions de patrimoines, des divorces... Tu n'oublieras pas l'échographie, lui rappela-t-elle, les yeux brillants, quand ils parvinrent à sa voiture. Ce sera fantastique de voir battre le cœur de ce petit bonhomme.

— Comment sais-tu qu'il s'agit d'un garçon ? Ce sera peut-être une fille.

— Ça m'est égal, dit-elle en posant une main légère sur son ventre. Tout ce que je souhaite, c'est que notre bébé soit en bonne santé.

— Alors, repose-toi et mange bien.

— Pour ça, pas de problèmes ! Oh, attends, ajouta-t-elle après une hésitation. Tu ne devais pas me parler de quelque chose ?

Will hésita, puis ressortit son agenda de sa poche.

— Il faudrait fixer une date pour le mariage. Que dirais-tu du troisième samedi de mars, le 25 ? Il fera assez chaud pour profiter du jardin et je pense que cela laissera suffisamment de temps à Maeve pour le réaménager, dit-il, éprouvant un pincement coupable rien qu'à prononcer son prénom. Je mettrai ma famille au courant ce soir.

— J'ai déjà prévenu la mienne, avoua Ida d'un air penaud. Maman est aux anges.

— Lui as-tu expliqué qu'il s'agissait d'un mariage platonique ? demanda-t-il, mal à l'aise à l'idée de rencontrer les parents de son amie.

— Oui. J'aurais préféré que personne ne le sache, mais je crois que, vis-à-vis de nos familles en tout cas, ce ne serait pas honnête. Ma mère est simplement heureuse que je ne sois pas une mère célibataire et se moque du reste. On s'appelle bientôt, ajouta-t-elle en se hissant sur la pointe des pieds pour l'embrasser sur la joue.

En rentrant, Will fit un détour par la maison de sa mère. Elle habitait un modeste pavillon dans un quartier ancien de Mornington et il lui rendait visite généralement une fois par semaine. Parfois, il profitait de l'occasion pour tondre la pelouse ou déboucher les gouttières, mais le plus souvent ils prenaient simplement plaisir à converser. Sa mère avait une façon bien particulière de présenter les événements de la vie.

Sur le chemin qui le menait chez elle, il s'était plu à imaginer, une fois la première surprise passée, la joie de sa mère en apprenant la nouvelle. Mais, quand il eut garé sa voiture derrière la petite Toyota, qu'il aperçut, à travers la fenêtre du séjour, la lueur de la télévision, il commença à éprouver des doutes quant à sa réaction et se surprit à ralentir le pas dans l'allée.

Prenant son courage à deux mains, il frappa et entra.

— Bonjour, maman ! C'est moi !

— Entre, lança Grace depuis la salle de séjour. Mon émission est presque terminée.

Ses yeux toujours fixés sur l'écran, elle se redressa légèrement dans son fauteuil afin qu'il pût l'embrasser. Il s'assit en silence sur le canapé sachant qu'il était inutile d'essayer de lui parler avant la fin de son programme favori.

Au bout de quelques minutes, elle pointa la télécommande en direction de l'appareil et l'éteignit. Puis elle se débarrassa du journal de mots croisés posé sur ses genoux, releva ses lunettes et sourit.

— Comment vas-tu, chéri? Tu as envie d'une tasse de thé?

— Non, merci. Je viens juste de dîner avec Ida.

Comment poursuivre? D'ordinaire, il communiquait facilement avec sa mère, mais aujourd'hui il ne savait pas par où commencer. Heureusement, elle n'était jamais à court de mots.

— Je l'ai rencontrée, il y a une quinzaine de jours au supermarché, dit-elle aussitôt. Elle avait une petite mine. Je ne peux toujours pas croire qu'elle ait déjà sa propre étude. Quel dommage qu'elle ne soit mariée!

— C'est drôle que tu dises ça, s'empressa-t-il de remarquer, profitant de l'opportunité qu'elle lui offrait. Justement, elle se marie.

— Vraiment? Elle ne m'a rien dit.

— C'est... tout récent, fit-il en déglutissant avec difficulté. Tout compte fait, je prendrais bien un thé.

— Bien sûr, acquiesça-t-elle en se levant pour se rendre dans la cuisine. Qui est l'heureux élu? C'est cet Américain? poursuivit-elle en remplissant la bouilloire électrique.

Will, qui l'avait suivie, s'approcha de la fenêtre et se plongea dans la contemplation du jardin.

— Non... L'herbe est déjà haute. Je viendrai avec la tondeuse la prochaine fois.

— Viens dimanche. J'ai un gigot d'agneau et Julie devrait être là avec les enfants.

Elle disposa quelques biscuits sur une assiette tandis que Will s'occupait des tasses et, quelques minutes plus tard, tous deux étaient assis à la table de la cuisine devant leur thé fumant.

— Maintenant, raconte-moi tout ce que tu sais sur Ida, dit-elle en tirant une cigarette du paquet qui était posé sur le rebord de la fenêtre. Est-ce que tu connais l'homme qu'elle épouse?

— Euh, oui. A vrai dire, je le connais très bien.

— Allez, dis-moi, pria-t-elle, les yeux élargis par la curiosité.

— C'est moi. C'est moi qui vais épouser Ida.

Grace le regarda bouche bée.

— Toi et Ida, vous allez vous marier? répéta-t-elle. Mais pourquoi? Attends, ne te méprends pas. J'aime Ida comme si elle était ma propre fille. Mais je ne pensais pas que tu éprouvais des sentiments...

— Tu as raison. Je ne l'aime pas de cette façon-là.

— Alors, pourquoi?

— Nous voulons fonder une famille. Nous avons tous les deux renoncé au mythe de l'amour romantique. Et nous sommes amis depuis toujours. Ça marchera.

Sa mère tira une longue bouffée sur sa cigarette, puis souffla lentement la fumée.

— Dieu sait que je désire te voir heureux. Et que je serais enchantée d'accueillir de nouveaux petits-enfants. Mais que va-t-il se passer si tu tombes amoureux d'une autre femme, une fois marié?

Maeve. Il ne fallait pas penser à elle. Ce qu'il ressentait à son égard, ce n'était pas de l'amour. Pourtant, son prénom avait spontanément jailli dans son esprit. Il s'agita sur sa chaise.

— Il y a des choses plus importantes que la passion.

Tout au fond de lui, le vide qu'il s'efforçait d'ignorer

depuis des années sembla soudain se révéler aussi profond qu'un abîme. « Qu'importe », se dit-il. Ida et le bébé combleraient tous ses manques. C'était tout ce qui comptait.

— Que s'est-il passé avec Maree ? s'enquit Grace inopinément. Je n'ai jamais compris pourquoi vous vous étiez séparés.

— Je voulais des enfants et elle ne se sentait pas prête. Elle avait vingt-cinq ans et beaucoup d'ambition.

— Est-ce qu'Ida sait que tu ne l'aimes pas ?

— Oui. Elle ne m'aime pas non plus. Nous sommes tout à fait lucides.

— Hum ! En tout cas, je te conseille de bien réfléchir. Je crains que tu ne te laisses pas assez aller, dit-elle d'un air songeur. Ton père t'a manqué. C'est toi, en tant qu'aîné, qui as le plus souffert de sa disparition. Quoi qu'il arrive, continua-t-elle, je veux que tu me promettes deux choses.

— Bien sûr.

— Ne sois pas si désinvolte. Tu me réponds comme si je t'avais demandé d'aller acheter du pain au coin de la rue ! Je te parle sérieusement, c'est important pour toi, et pour Ida.

— D'accord, je t'écoute.

— Promets-moi de ne pas faire de mal à Ida. Votre précieuse amitié pourrait bien ne pas résister à une telle aventure.

— Promis. Je ne ferai jamais rien qui puisse la faire souffrir. Quelle est la seconde chose ?

— Sois honnête avec toi-même.

— Maman, fais-moi confiance. J'ai bien réfléchi et je crois sincèrement que nous avons pris une excellente décision.

Ses yeux graves le scrutaient. Puis elle déclara :

— Bien. Alors, je te félicite.

— Il y a autre chose, reprit-il après avoir lentement rassemblé les miettes sur la table en un petit tas. Ida est enceinte.

— Mon Dieu, Will ! s'exclama-t-elle dans un souffle. Est-ce que c'est ton enfant ?

— Maintenant, oui, répondit-il en arrêtant le geste qu'elle faisait pour allumer une nouvelle cigarette. Me donnes-tu toujours ta bénédiction ?

Une poignée de secondes s'écoulèrent tandis que l'information faisait son chemin dans l'esprit de sa mère, puis elle sourit et dit, l'œil humide :

— Pour ce qu'elle vaut, oui.

— C'est important pour moi, maman. Merci, dit-il en se levant.

Il la prit dans ses bras et l'embrassa affectueusement. Elle laissait couler ses larmes à présent.

— Sois heureux, murmura-t-elle.

— Je ferai tout ce qu'il faut pour ça. Maintenant, à ton tour de me faire un serment. Arrête de fumer. Fais-le pour le bébé si tu ne le fais pas pour toi-même.

— J'y penserai.

Il conduisit tranquillement pour rentrer chez lui. Il avait baissé sa vitre et une brise douce lui caressait le visage. Il se sentait bien, heureux. En dépit de la débâcle de son entreprise. En dépit de Maeve. Bientôt, Ida et lui formeraient une famille, avec un enfant qu'il considérait déjà comme le sien. Il atteignait les hauts de Sorrento, la baie s'étendait devant lui, orange et rose dans le soleil couchant. La vie était belle.

# 6.

Aussitôt levé, le samedi suivant, Will enfila un maillot de bain et descendit pieds nus au rez-de-chaussée pour mettre en marche son ordinateur. Il cliqua sur le site des informations météorologiques, puis il localisa Sorrento sur la carte et, deux secondes plus tard, la photo des vagues, mise à jour quotidiennement, apparut sur l'écran : on prévoyait des rouleaux d'une hauteur de 1,30 à 2 mètres. Belle journée en perspective !

Lorsqu'il arriva sur la plage, une dizaine de surfeurs, à plat ventre sur leur planche, voguaient déjà, guettant la prochaine vague. Il passa sa combinaison et déballa avec mille précautions le cadeau qu'il s'était offert à Noël : une nouvelle planche, conçue et réalisée selon ses propres indications.

Il courut à petites foulées vers le rivage, puis grimpa sur sa planche et rama vers le large. L'eau était fraîche, comme toujours, à cause des courants en provenance de l'Antarctique qui venaient lécher le détroit, mais l'effort qu'il fit pour passer la ligne des brisants eut vite fait de le réchauffer. A une vingtaine de mètres de lui se trouvait Mouse, les cheveux décolorés, des tatouages sur les deux bras, un anneau accroché au sourcil. Derrière lui, il reconnut deux jeunes garçons d'une douzaine d'années qui s'étaient lancés l'été précédent. Ils lui rappelaient ses propres débuts.

Il attendit un moment, scrutant la vague, repérant l'instant précis où elle se briserait, étudiant la hauteur et la direction du rouleau, puis il se releva et s'élança, muscles tendus, dans une longue glissade. C'était une bonne planche. Pourtant, ramant de nouveau pour s'éloigner de la côte, il se sentit troublé. Maeve occupait trop souvent ses pensées alors que toutes auraient dû être tournées vers Ida et le bébé.

Une nouvelle vague arrivait. Ses yeux se rétrécirent pour juger de sa vitesse, de l'ampleur avec laquelle elle se creusait. Il orienta sa planche et se remit à ramer de ses bras puissants. En sport comme en affaires, et en amour, tout n'était qu'une question de timing.

Encore une seconde... Maintenant! Il se mit debout et, un instant, le reflet brillant du soleil sur l'eau l'éblouit. Un déclic se fit dans son esprit. Exultant, il se lança et fila sur la vague, enivré par la vitesse et l'adrénaline. Il tenait la solution. Pour accroître l'efficacité du panneau de Maeve, il fallait augmenter la vitesse des électrons à l'intérieur de la couche de silicone. Et il savait exactement comment y parvenir.

Maeve allait être impressionnée.

Ida fixait le téléphone avec appréhension. Il n'y avait aucune raison d'être effrayée, se répétait-elle. Il ne s'agissait que de donner un coup de fil. « Bonjour, Rick, dirait-elle. Comment vas-tu? As-tu beau temps? A propos, j'attends un enfant et tu es le père... »

Elle avait menti à Will lorsqu'elle avait dit que Rick était au courant. Cependant, il était vrai qu'il ne se sentait pas mûr pour élever des enfants. Il le lui avait dit au cours d'une conversation, au début de leur relation. C'est pourquoi elle n'avait pas eu besoin de l'appeler pour deviner ce qu'il dirait en apprenant la nouvelle. Il lui offrirait probablement son soutien financier, mais il ne lui demanderait pas de l'épouser.

Elle devait admettre qu'elle-même lui avait dit, une fois ou deux, qu'elle considérait leur relation comme une simple aventure. Mais tout de même, il aurait dû comprendre qu'elle ne faisait que se protéger. S'il l'avait vraiment aimée, il se serait manifesté plus souvent.

Elle saisit le combiné et composa rapidement le numéro de Rick à San Diego. Will avait raison : Rick avait le droit de savoir qu'il allait être père.

— Allô ! répondit la voix de Rick dès la deuxième sonnerie. Qui est à l'appareil ?

La bouche sèche, Ida ne put répondre. Elle reposa doucement le combiné sur son support. Pourquoi irait-elle s'exposer délibérément à un refus ?

— Vous êtes vraiment sûr que Maeve ne sera pas fâchée que j'aie emporté le panneau solaire ? demanda Will à Art par la vitre de la Mercedes, tout en sachant pertinemment qu'elle le serait.

— Absolument. Ce truc a failli la rendre folle d'énervement, répondit Art en faisant un nœud supplémentaire à la corde qui maintenait le panneau dans le coffre. Elle ne devrait plus tarder maintenant. Venez prendre une bière en l'attendant et vous lui poserez la question vous-même.

— Non merci, je dois y aller.

Guidé par Art, il sortit de l'allée en marche arrière, manœuvrant avec prudence pour ne pas accrocher les montants du portail.

Une demi-heure plus tard, comme il ralentissait devant sa maison, son regard fut attiré par les imposantes vasques de pierre qui flanquaient les marches du perron. On avait remplacé les tiges sèches et les feuilles mortes par des fleurs aux coloris éclatants. Maeve était passée par là.

Puis il remarqua la camionnette vert foncé devant le garage et son cœur s'arrêta de battre. Luttant contre l'impérieux désir de partir à sa recherche, il détacha le panneau solaire et le transporta dans son atelier. Ayant déposé l'encombrant objet sur le banc, il leva les yeux et s'aperçut qu'elle avait non seulement enlevé l'eucalyptus, mais aussi coupé la vigne qui grimpait au-dessus de la fenêtre.

— Will ? l'entendit-il appeler.

Elle apparut dans l'encadrement de la porte. Vêtue comme à l'accoutumée d'un pantalon kaki à larges poches et d'un débardeur noir, elle portait aux oreilles des petits anneaux d'argent ornés d'une perle turquoise. Elle avait une trace de terre sur la joue, ce qui ne faisait que renforcer l'impression de vitalité qui émanait de sa personne.

— Bonsoir, dit-il en allant vers elle.

— J'ai besoin de vous pour prendre une décision à propos du papayer, déclara-t-elle en repoussant du dos de la main une longue mèche de cheveux qui barrait son front.

— Je ne savais même pas que j'en avais un, dit-il, surpris.

— Il est derrière les lilas. Venez, je vais vous le montrer.

Il la suivit à travers la pelouse jusqu'à l'extrémité nord-est du terrain. Presque complètement dissimulé par les buissons, près du mur de brique qui séparait sa propriété de celle de son voisin, se trouvait un petit arbre au tronc grêle coiffé d'une aigrette de palmes.

— Je ne sais pas qui a eu l'idée de planter un papayer à un endroit aussi ombragé, dit-elle d'un ton désapprobateur. J'ai l'impression qu'il n'a jamais porté de fruits, mais, qui sait ? peut-être que si je le déplaçais...

— Eh bien, d'accord. Mettez-le où vous voudrez.

Il se sentait mal à l'aise. Elle se tenait si près de lui dans cet espace exigu qu'il pouvait respirer son odeur. Et l'esprit de camaraderie dans lequel ils avaient travaillé ensemble dans le jardin quelques jours auparavant ne changeait rien au trouble qu'il éprouvait à présent.

— Je le verrais bien entre le figuier et la piscine. Mais il faut que vous sachiez qu'il pourrait ne pas reprendre.

— Est-ce que c'est la bonne période pour déplacer les arbres ? s'enquit-il en évitant de croiser son regard.

— Non, mais j'ai des projets pour cet endroit.

— Lesquels ?

— Permettez-moi de garder mes petits secrets, répondit-elle en secouant la tête.

— Soit. Nous n'avons rien à perdre de toute façon, puisque le papayer ne se plaît pas ici.

— C'est mon avis aussi, mais je n'aime pas déplacer une plante parvenue à maturité sans avertir le propriétaire des risques encourus.

Tandis qu'il cherchait en vain ce qu'il aurait bien pu ajouter à propos du papayer, Maeve se dégagea des broussailles et sortit du taillis. Il la suivit, notant qu'elle se tenait maintenant à une distance respectueuse de lui.

— Comment va Ida ? demanda-t-elle.

— Bien. En fait...

Il s'interrompit brusquement. Il avait failli annoncer qu'elle était enceinte. Ses sœurs ne parlaient jamais de leurs grossesses avant la fin du premier trimestre. Peut-être étaient-elles tout simplement superstitieuses ? En tout cas, un réflexe de prudence l'avait arrêté dans son élan.

— Elle va très bien, répéta-t-il, comme Maeve attendait visiblement qu'il termine sa phrase.

Elle lui lança un regard pénétrant.

— Elle m'a raconté que vous alliez ensemble à l'université et que vous l'aviez invitée au bal de remise des diplômes. Vous avez mis un certain temps pour vous rendre compte que vous vous aimiez.

— Qu'est-ce que l'amour ? fit-il en haussant les épaules.

— Ne le savez-vous pas ?

Une fois encore, il était en train de perdre le fil de ses pensées. Il n'avait plus la moindre idée de ce qu'il avait voulu dire.

— Il fait diablement chaud aujourd'hui, grommela-t-il finalement en levant les yeux vers le ciel limpide.

— Vous ne m'avez pas dit grand-chose au sujet de votre père, remarqua-t-elle soudain.

— Mon père ! Qu'est-ce qui vous fait penser à lui tout à coup ?

— Les lilas, répondit-elle avec un sourire énigmatique. Je crois qu'il est mort quand vous n'étiez encore qu'un enfant ?

— Une crise cardiaque l'a emporté à l'âge de cinquante-sept ans. J'avais dix ans, ajouta-t-il du bout des lèvres.

Il n'avait aucune envie de parler de son père, William senior, envers lequel il éprouvait toujours des sentiments ambigus.

— Il devait être beaucoup plus âgé que votre mère, dit-elle de sa voix basse.

— Vingt-deux ans les séparaient. Elle sortait à peine du lycée quand elle l'a rencontré, et elle n'a pas poursuivi ses études par la suite.

— Un coup de foudre ?

— Pas exactement, non. En se mariant, elle échappait à l'emprise d'un père autoritaire et brutal. Néanmoins, ils avaient de l'affection l'un pour l'autre et s'entendaient bien. C'était suffisant.

— Le croyez-vous vraiment? demanda-t-elle avec douceur.

— Ça l'était pour eux.

Evoquer ce père qui s'était marié trop tard pour avoir la possibilité d'élever ses enfants réveillait en lui une amertume profonde, un ressentiment nourri pendant des années qui le poussa à ajouter dans un accès de colère:

— Il l'a laissée avec quatre enfants et aucun moyen de subsistance.

— Comment s'est-elle débrouillée?

— Nous avons déménagé à Mornington, répondit-il en donnant un coup de pied dans une pierre. Et elle a travaillé comme serveuse dans un restaurant.

— C'est à ce moment-là que l'espace et la liberté dont vous jouissiez à la ferme ont commencé à vous manquer.

— Je ne vois pas en quoi cela change quelque chose aujourd'hui, d'autant que je préfère vivre au bord de la mer qu'à la campagne. Pourtant...

— Peu importent les métamorphoses que nous connaissons en grandissant, une part de nous-même n'aspire qu'à renouer avec son enfance. Qu'elle ait été heureuse ou non, c'est l'époque où nous nous sommes éveillés à la vie. Dans votre jardin, reprit-elle après s'être arrêtée un instant pour le regarder dans les yeux, je veux recréer l'essence même des souvenirs que vous portez dans votre cœur.

Ses mots touchaient en lui une fibre dont il ne soupçonnait pas l'existence. Incapable de parler, il fixait ses yeux sombres, assimilant le fait qu'elle semblait pouvoir déchiffrer ses pensées les plus enfouies mieux que lui-même. Une amazone doublée d'une sorcière...

Elle eut soudain un large sourire, comme si elle avait voulu le tranquilliser.

— Où vivent vos frère et sœurs? interrogea-t-elle d'un ton léger en reprenant sa marche. Les voyez-vous souvent?

— Mon frère et une de mes sœurs vivent à Sydney. L'autre, Julie, habite Melbourne. Nous sommes très proches, mais nous sommes tous très occupés et ne nous retrouvons pas assez souvent. Julie et Mike viennent juste d'avoir un bébé, une fille, ajouta-t-il, ému par le souvenir de la petite Caelyn.

Il se serait volontiers montré plus disert à propos de ses neveux et nièces, mais Maeve s'était tout à coup absorbée dans la lecture des instructions mentionnées au dos d'un paquet de graines qu'elle venait de sortir de sa poche.

— Venez, reprit-il comme ils se trouvaient à l'entrée de l'atelier. J'ai quelque chose à vous montrer.

Elle hésita, puis le suivit dans la pénombre du bungalow. Will passa un doigt sur l'interrupteur et la lumière crue tomba sur le rectangle de métal et de verre qui occupait la moitié du banc.

— Est-ce qu'il s'agit de mon panneau solaire? demanda-t-elle d'un ton mi-indigné, mi-curieux.

— Eh bien, oui. J'ai eu une idée pour accumuler plus d'énergie. Alors, je suis allé chez vous, j'en ai parlé à Art et il m'a laissé emporter le panneau.

— Il n'aurait pas dû. Mais puisque c'est fait... Quelle est votre idée?

— J'ai l'intention d'accroître la puissance de sortie voltaïque grâce à un photomultiplicateur qui changera la structure de base du panneau et permettra une circulation plus rapide des électrons.

Il jeta un coup d'œil à l'expression de Maeve, guettant un signe d'ennui. Généralement, lorsqu'il entrait ainsi dans des explications techniques, les femmes décrochaient assez vite, ou bien, si elles cherchaient à l'impressionner, adoptaient un air faussement captivé. Mais, cette fois, il ne décela rien de tel ; elle se penchait sur le dispositif d'un air sérieux et concentré.

Brusquement, ayant saisi toutes les implications de sa trouvaille, elle se tourna vers lui et s'exclama :

— Cela pourrait révolutionner l'industrie solaire !

— C'est possible, admit-il modestement.

— Ne faudrait-il pas utiliser une plus grosse batterie pour éviter les risques de surcharge ?

— Exactement ! dit-il transporté par l'enthousiasme de Maeve : non seulement, elle comprenait ce dont il était question, mais elle voulait en savoir plus. Je croyais que votre domaine, c'était la botanique.

— J'avais choisi la physique en option lorsque je préparais mon diplôme de sciences. Puis, je me suis intéressée à la structure moléculaire des plantes et à son influence sur la physiologie. J'ai bifurqué alors vers la biophysique. C'était avant de décider que je préférais travailler à l'extérieur plutôt que dans un laboratoire.

Amazone, sorcière et scientifique... Quelles surprises lui réservait-elle encore ?

— C'est agréable de parler avec quelqu'un qui a une formation proche de la sienne. Et qui ne vous considère pas comme une idiote, ajouta-t-elle avec un petit rire complice.

Il rencontra ses yeux, sourit et eut tout à coup l'impression que les électrons emprisonnés à l'intérieur du panneau solaire s'étaient libérés pour entrer en orbite autour d'eux, créant un champ magnétique qui rivait son regard à celui de la jeune femme.

Les secondes s'égrenaient, magiques, quand des pas crissèrent sur le gravier derrière eux. Presque aussitôt, une voix enjouée retentit :

— Hello ! C'est moi.

Ida. Will sursauta. Maeve, le rose aux joues, fit un pas en arrière.

— Will était en train de m'expliquer les modifications que l'on pourrait apporter à ce panneau solaire, dit-elle assez précipitamment.

Le regard d'Ida passa rapidement de l'un à l'autre.

— Il ne faut pas le laisser vous ennuyer avec son violon d'Ingres. Si vous ne l'arrêtez pas, il est capable de parler d'électronique pendant des heures, conseilla Ida.

— Ça ne m'ennuie pas du tout. Si son idée fonctionne, je pourrai enfin démarrer mes expériences sur les hydroponiques.

— Oh ! Il fait ce travail pour vous. C'est tout à fait différent dans ce cas, dit Ida sur un ton qui laissait penser que, dans son esprit, « différent » signifiait en réalité : « pire ».

— En fait, c'est pour mon père qu'il le fait, rectifia Maeve, envahie soudain par un sentiment de culpabilité.

— J'en suis persuadée, répondit Ida fraîchement.

— Comment vas-tu, Ida ? s'enquit Will en évitant de regarder Maeve.

— Bien. Tu as oublié ? dit-elle en tapotant sa montre.

— L'échographie ! Non, bien sûr que non, bredouilla-t-il, au comble de l'embarras. Je... euh... Maeve, vous voudrez bien m'excuser, mais Ida et moi, nous devons...

— Nous avons rendez-vous chez le médecin pour une échographie, annonça alors clairement Ida en posant une main sur son ventre. Nous allons avoir un bébé.

Maeve sentit un frisson glacial la parcourir. Will allait être père. Et l'expression de satisfaction béate qu'elle lisait sur son visage disait assez tout ce que cela représentait pour lui.

Il n'était pas pour elle. Cette idée, qui n'avait fait que

l'effleurer jusqu'ici, la frappa soudain comme une évidence. Car, même si Ida n'avait pas existé, Maeve n'aurait jamais pu lui donner ce qu'il désirait. Et bien qu'elle se répétât qu'elle n'avait nourri aucun espoir à son égard, elle ne put s'empêcher de se sentir dépossédée. Comme si l'idée même d'aimer de nouveau venait de mourir soudain en elle ainsi que l'espérance de voir ses blessures se refermer un jour.

— Félicitations. C'est merveilleux, parvint-elle à dire.

Puis elle se tourna vers Will en souhaitant qu'il comprenne le message qu'elle tentait de lui transmettre, ses yeux lui adressant un silencieux adieu : quoi qu'il se soit passé à l'instant entre eux, cela ne devait jamais se reproduire.

Il eut un imperceptible mouvement de la tête comme s'il comprenait. Puis il mit un bras autour des épaules d'Ida et dit avant de se diriger vers le garage :

— A plus tard, Maeve.

Le Dr Novitsky, une petite femme aux cheveux gris et au léger accent polonais, commentait l'échographie tout en déplaçant le pointeur sur l'écran :

— Voici la ligne du dos, l'estomac... Vous voyez le cœur, ici... Et là, un fémur...

— Son cœur bat tellement vite, murmura Ida.

Fasciné, Will essayait de compter les pulsations. C'était un vrai bébé, un être minuscule qui dépendait d'Ida et de lui. Un sentiment de grande humilité l'envahit. En même temps qu'une profonde exaltation. Il chercha dans la pénombre le visage d'Ida où se peignait la même expression de ravissement mêlé de respect.

— C'est normal : le cœur d'un fœtus bat plus vite que celui d'un adulte, expliqua le médecin.

— Pouvez-vous voir si c'est une fille ou un garçon ? demanda Will.

— Vous êtes certain de vouloir savoir ? interrogea le Dr Novitsky en promenant la sonde sur le ventre brillant de gel d'Ida, arrêtant par moments son geste pour enregistrer une image.

— Personnellement, cela m'est égal, répondit Will en regardant Ida, mais si tu veux savoir...

— Je préfère la surprise, dit-elle doucement en prenant sa main. Est-ce qu'il a bien tout ce qu'il faut ? ajouta-t-elle à l'adresse du médecin.

— Il n'y a aucun signe de malformation, répondit celle-ci d'une voix rassurante.

Will qui n'avait à aucun moment envisagé cette éventualité fut néanmoins soulagé. Captivé par les mouvements aquatiques du bébé, il serait volontiers resté là toute la journée, à l'observer, mais le Dr Novitsky éteignit l'écran.

Ils sortirent, encore étourdis. Dans la rue, le soleil leur parut aveuglant après l'obscurité de la salle d'échographie. Ida portait religieusement la grande enveloppe bleue qui contenait le premier cliché de leur bébé. Will était sous le choc. Malgré les rêves qu'il avait caressés, la joie qu'il s'était faite à l'avance, rien ne l'avait préparé à vivre une pareille expérience. D'un coup, la grossesse avait pris réalité. Son rôle de père avait commencé.

— Ce week-end, j'attaquerai la transformation d'une des pièces inoccupées en chambre d'enfant, déclara-t-il, concentré, comme ils rejoignaient le parking.

— Il va falloir acheter un certain nombre de choses, fit-elle en écho, un berceau, un siège auto...

— Une mappemonde, continua-t-il, il ou elle s'intéressera peut-être aux sciences.

— Une chaise haute et une poussette...

— Je pense que je vais ouvrir un livret à la banque dès maintenant.

— Un parc, des jouets pour le bain...

— Nous prendrons un abonnement à *Australian Geographic*.

— Will, sois sérieux! s'exclama-t-elle en riant.

— Je suis parfaitement sérieux, rétorqua-t-il, indigné. Je pense à son avenir.

— Comment l'appellerons-nous? demanda-t-elle. J'aime bien Miranda pour une fille, et Jason pour un garçon. A moins que tu ne préfères William?

— Pourquoi pas Richard?

Ida s'immobilisa. La joie avait complètement disparu de son visage.

— Est-ce que tu as l'intention de m'envoyer Rick à la figure toute ma vie? Parce que si c'est le cas...

— Non, non, je suis désolé, s'empressa-t-il de dire, consterné de voir que des larmes brillaient dans ses yeux. J'ai seulement pensé que tu aimerais peut-être te souvenir de lui.

— Il n'est pas mort et je ne vais sûrement pas élever un monument à la mémoire de notre prétendue histoire d'amour, s'écria-t-elle d'un air farouche. Et il est tout à fait hors de question que mon fils porte son nom.

Will l'attira contre lui, malheureux de la voir souffrir. Il sentait la poitrine de Maeve se soulever, sous l'effet de sanglots étouffés. Puis sa respiration s'apaisa.

— Elle est vraiment belle, hein? dit-elle finalement sur un ton différent, abattu.

— Qui?

— Maeve. Elle t'attire, n'est-ce pas?

— Pas du tout! Enfin, peut-être un peu.

— Beaucoup, d'après ce que j'ai pu voir, corrigea-t-elle en soupirant. Et tu lui plais aussi.

— Non, dit-il plus fermement.

— Je sais qu'il se passe quelque chose entre vous, s'obstina-t-elle. Il n'est pas trop tard pour faire marche arrière, Will.

— Ne parle pas comme ça, Ida. Je ne vais pas revenir sur mes engagements. Je veux ce bébé. Je veux que nous formions une famille. Et je regrette sincèrement de t'avoir fait de la peine cet après-midi.

— Tu n'y es pour rien. Il n'y a pas d'amour entre nous, il n'y en a jamais eu. C'est juste que, quelquefois...

— Oui?

— Rien. Ça n'a pas d'importance.

— Essayons de prendre les choses comme elles viennent, d'accord?

— D'accord, acquiesça-t-elle en changeant d'épaule son sac en bandoulière. Je vais passer au bureau chercher quelques dossiers avant de rentrer chez moi. Tu retournes à l'usine?

— Je pense que je vais aller surfer.

Ayant garé sa camionnette dans Birdwood Avenue, Maeve traversa le Jardin Botanique de Melbourne, célèbre pour son étonnante variété d'arbres centenaires, son lac et ses vastes pelouses aux massifs exotiques. Elle emprunta l'allée qui menait aux confins du parc, où, dans un creux de verdure, était nichée une boutique, véritable petit musée.

— Rose? appela-t-elle dès l'entrée.

N'obtenant pas de réponse, elle pénétra dans le cottage, passa sans s'arrêter devant la bibliothèque et la boutique de cadeaux, et rejoignit les ateliers qui se trouvaient à l'arrière.

Son amie, bénévole au musée, était aussi une collectionneuse passionnée de cactus tropicaux et Maeve, à la recherche d'une plante rare pour le jardin de Will, avait pensé à elle.

Penchée sur une table à dessin, Rose était en train de réaliser une aquarelle représentant un brin de civette en fleurs. En entendant les pas de Maeve, elle leva la tête et repoussa ses cheveux blonds derrière ses oreilles.

— Salut !

— Bonjour, Rose. Ta série avance bien ?

— Le conservateur aimerait que je fasse encadrer mes planches afin de les mettre en vente à la boutique, comme les cartes de vœux.

— C'est très joli, dit Maeve en étudiant la délicatesse et la précision du dessin. Est-ce que tu m'en garderas une ?

— Bien sûr. Tu pourras même la choisir quand j'aurai terminé la série, proposa Rose tout en rinçant son pinceau à l'eau claire. Qu'est-ce qui t'amène ainsi au milieu de la semaine ?

Maeve se percha sur un des tabourets hauts, à proximité de Rose, et s'accouda.

— Je crée en ce moment un jardin de clair de lune pour un client. J'ai déjà réuni quelques échantillons de fleurs bleues et blanches très parfumées et je voudrais y ajouter un *Selenicereus grandiflorus*. Sais-tu où je pourrais m'en procurer un ?

— Eh ! La Reine de la Nuit ! C'est une plante rare, et une de tes préférées si je ne me trompe, dit Rose, levant un sourcil perspicace. On dirait qu'il ne s'agit pas d'un client ordinaire...

— Non, admit Maeve en se sentant rougir, quoique je me demande pourquoi je me donne tant de mal. C'est le patron de mon père et il vient de licencier tous ses employés.

117

— Néanmoins, il est spécial, insista Rose.

Maeve descendit du tabouret et se mit à déambuler dans l'atelier.

— Il est... compliqué. Séduisant. Intelligent. Il a réussi à trouver un moyen d'augmenter la puissance de sortie du panneau solaire et je vais pouvoir reprendre mes expériences sur la culture d'hydroponiques.

— Je l'aime déjà. Est-ce qu'il te plaît ? demanda Rose en inclinant la tête.

— Non, répondit-elle fermement. Il est fiancé à une charmante jeune femme, et ils attendent un enfant.

Elle fit une pause, soupira, puis reprit :

— Pourtant, quelque chose cloche entre eux. Leurs rapports semblent totalement dénués de passion. Il n'y a pas d'étincelle, je ne sais pas... Mais peut-être que je me fais des idées.

Elle se tut. Elle ne voulait pas penser à tout ça, et encore moins en parler.

Mais Rose la connaissait depuis longtemps.

— Tu es attirée par cet homme, Maeve. Est-ce qu'il est beau ?

— Pas mal. Si on aime ce genre-là, répondit Maeve à contrecœur en respirant le pot-pourri contenu dans un ravissant petit panier tressé.

— De quel genre parles-tu ?

— Oh, tu sais, le genre surfer. Grand, bronzé, les yeux bleus et des mèches de soleil dans les cheveux.

— Je vois. Assez repoussant en somme, commenta Rose d'un ton ironique.

— Oh, Rose, gémit Maeve en se tordant les mains. C'est vrai, il me plaît. Enormément. Pas seulement à cause de son physique, mais également parce que je sens une complicité entre nous. Et le pire, c'est que je l'attire également.

118

— Oh, mon Dieu! s'exclama Rose d'un air inquiet. S'est-il passé quelque chose entre vous?

— Non, rien! Il ne fait pas partie de ces hommes qui trompent leur fiancée à la première occasion. Crois-moi, je n'ai pas voulu ce qui arrive. En plus, il vient de licencier mon père!

— Qu'est-ce que tu comptes faire?

— Pour commencer, je n'irai plus chez lui en sa présence. Ensuite... Je songe à m'en aller un moment dès que j'aurai terminé ce jardin.

— C'est si grave que ça?

— Peut-être. De toute façon, je ne veux pas prendre le risque de voir notre relation se compliquer. Et je ne voudrais pas être responsable de leur séparation.

— Tu me rassures. Ecoute, tu es toujours la bienvenue chez moi, à Emerald. Je ne sais pas si les monts Dandenong guérissent les peines de cœur, mais il y fait plus frais qu'à Melbourne.

— Merci, Rose. C'est très tentant. J'ai eu des nouvelles de Graham, continua-t-elle en caressant un écheveau de laine vert mousse. Il m'a invitée à naviguer avec lui à la fin du mois de mars. Il dit qu'il a changé d'avis à propos des enfants et que nous pourrions réessayer tous les deux.

— Tu en as envie? interrogea Rose en l'observant attentivement.

— Nous avons partagé de bons moments.

— Mais la décision d'avoir ou non d'autres enfants n'était pas votre seul problème, n'est-ce pas?

— Non, murmura-t-elle en se remémorant les heures passées à s'épancher auprès de son amie. Mais c'était il y a cinq ans. Il a peut-être changé.

— Ou peut-être tentes-tu simplement de fuir une situation particulièrement inconfortable? suggéra Rose. Tu vas devoir sonder ton cœur pour découvrir ce que tu veux réellement.

— Et si je ne peux pas obtenir ce que je désire ? demanda Maeve, découragée.

— Alors, il te faudra apprendre à vivre sans cela. L'amour fait parfois souffrir. Mais maintenant, sèche tes larmes, ma belle, dit Rose d'une voix plus gaie. Je sais où tu vas pouvoir trouver un parfait spécimen de *Selenicereus*.

# 7.

C'est avec plaisir que Maeve laissa derrière elle les artères embouteillées de Melbourne. A mesure que le flot des voitures devenait moins dense, son agitation s'apaisait. Elle n'avait qu'à oublier les sentiments qu'elle éprouvait pour Will, faire son travail et, ensuite, disparaître.

Elle chantonnait en arrivant à Mount Eliza, se réjouissant par avance de la soirée qu'elle allait passer à bricoler dans son jardin. Comme elle ralentissait dans l'impasse qui menait à « Wandin Cottage », un effluve de résine d'eucalyptus parvint à ses narines tandis qu'une pie se mettait à jacasser. Elle fit un signe de la main à Mme Griffiths, qui était en train de soigner ses roses, puis ralentit encore pour virer dans l'entrée étroite de son allée.

Une voiture de police était garée devant la maison.

Elle tira brusquement le frein à main, bondit hors de la camionnette et courut vers le cottage où elle entra en trombe, sans se soucier de la porte vitrée qui claqua bruyamment derrière elle.

— Papa! Où es-tu? Tu vas bien?

Un officier de police sortit de la chambre de son père,

lui barrant le passage. Elle crut défaillir devant la sombre expression de son visage.

— Où est mon père ? demanda-t-elle, affolée.

— Votre père va bien, madame Arden. M. Hodgins est dans la cuisine avec le sergent à qui il donne tous les détails.

— Les détails de quoi ? Que s'est-il passé ?

— Vous avez été cambriolés. Votre père a trouvé la porte fracturée en rentrant du travail.

Le souffle coupé, elle croisa les mains sur sa poitrine. Un étranger avait forcé sa maison, avait pénétré son intimité. Dans un brouillard, elle perçut des bruits de pas, puis une voix qu'elle reconnut instantanément.

Will. Que faisait-il chez elle ?

Il s'approcha et passa un bras autour de ses épaules. Ravalant les sanglots de rage qui l'étouffaient, elle tenta de se dégager, refusant un réconfort qui la faisait se sentir encore plus vulnérable. Elle se défendait d'avoir besoin de lui, et ne voulait surtout pas qu'il la vît dans cet état.

Insensible à sa protestation silencieuse, il l'entraîna dans le couloir.

— Quand le cambriolage a-t-il eu lieu ? demanda-t-il au policier.

— Pardon, monsieur... monsieur ?

— Will Beaumont. Je suis un ami de la famille.

— Mon père travaille pour lui, intervint Maeve en se ressaisissant. Et, en ce moment, moi aussi. C'est moi qui pose les questions, ajouta-t-elle à l'adresse de Will tout en dégageant son coude.

Mais au même moment, parvenue à la porte de la salle de séjour, elle eut une nouvelle vision de la réalité. Qui l'arrêta net. La télévision avait disparu. La chaîne hi-fi, le magnétoscope n'étaient plus là.

— Oh, non !

Aussitôt, elle fit demi-tour et se rua vers sa chambre. Une horrible pensée venait de traverser son esprit : avaient-ils pris le bracelet de bébé de Kristy ? D'un bond, elle fut de l'autre côté du lit de cuivre où se trouvait la commode d'acajou patinée par les ans et les cirages répétés. Tremblante, elle ouvrit le tiroir du haut, écarta à la hâte les sous-vêtements soyeux qu'elle portait dans les grandes occasions, et sortit le petit coffret de velours noir dont elle souleva le couvercle. Ses chaînes d'or, ses boucles d'oreilles d'opale et, niché tout au fond, le précieux bracelet. Elle poussa un soupir de soulagement et le porta vivement à ses lèvres.

— Une chance que vous ayez caché vos bijoux, remarqua Will depuis le seuil. C'est joli, dit-il en jetant un coup d'œil au bracelet de corail. C'était le vôtre ?

— Oui, répondit-elle en laissant tomber le petit objet dans sa boîte afin qu'il ne puisse lire le prénom qui était gravé sur une plaque d'or en son milieu.

Elle reposa l'écrin dans le tiroir. Si elle feignait de l'ignorer, peut-être partirait-il. Puis elle s'assura que l'argent liquide qu'elle cachait au même endroit était toujours là. Dieu merci, il y était. Manifestement, les voleurs n'avaient emporté que ce qui leur était tombé sous la main. Elle dut s'appuyer un instant contre le meuble afin de surmonter un accès de faiblesse.

Enfin, elle se souvint des sous-vêtements qu'elle avait, dans sa précipitation, jetés sur le lit. L'espace d'un instant, elle s'imagina vêtue de ces seuls atours, dans les bras de Will. Le feu aux joues, elle s'empressa de les rassembler. Elle crut lire dans ses yeux une étincelle amusée, mêlée de... Mais non, elle s'était trompée, c'était impossible ! Ayant refermé le tiroir, elle observa Will qui promenait ses regards sur les rideaux de dentelle, le vase de fleurs coupées, les reproductions de peintures préraphaélites. Il se tourna vers elle et la considéra d'un œil perplexe, comme s'il essayait de faire coller le décor romantique de sa chambre avec la femme sportive qui maniait la tronçonneuse et retournait la terre de son jardin.

— Excusez-moi. Je dois vérifier mon ordinateur, dit-elle en passant devant lui.

N'avaient-ils pas accepté tacitement de ne pas reconnaître l'émoi qu'ils ressentaient en présence l'un de l'autre ? Et qu'était-il venu faire ici, sinon attiser ses sentiments ? D'une étrange manière, elle assimilait l'intrusion de Will dans sa chambre à celle des voleurs dans sa maison et se sentait doublement effrayée.

Cependant, elle reprit suffisamment ses esprits en regagnant la cuisine pour se demander si elle ne s'était pas laissé emporter par son imagination. Après tout, il n'avait rien fait, ou dit, de répréhensible. Et elle s'était sans doute méprise sur son dernier regard.

C'est alors qu'elle tourna les yeux vers le coin de la cuisine où elle avait installé son bureau lorsque Art était venu vivre chez elle, et, instantanément, oublia les préoccupations futiles de son esprit et de son cœur. L'ordinateur, l'imprimante, le scanner... Tout avait disparu !

En un clin d'œil, son père, qui l'observait assis à la table de la cuisine, fut près d'elle et l'entoura de ses bras.

— Ne t'inquiète pas, l'assurance prendra tout ça en charge, dit-il d'une voix douce.

— Tout mon travail était dans cet ordinateur, gémit-elle. Votre jardin aussi, ajouta-t-elle en regardant Will qui l'avait suivie.

Elle avait mis des heures pour dessiner un plan de son terrain à l'échelle, indiquant l'emplacement de chaque arbre, de chaque buisson existant et de tout ce qu'elle projetait de planter.

— N'avez-vous pas une sauvegarde sur disquette ? demanda-t-il.

— Si, mais reprogrammer un nouvel ordinateur va prendre un temps fou. Si jamais je mets la main sur ces escrocs, je les tue ! s'exclama-t-elle en serrant les poings.

— Il n'est pas très prudent de proférer ce genre de menaces devant un officier de police, fit remarquer sèchement le sergent qui remplissait la déclaration de vol.

— Elle ne le disait pas sérieusement, bien sûr, intervint Will.

Puis il se pencha sur elle, et murmura à son oreille :

— Tout ira bien, je vous le promets.

Au milieu du chaos, elle éprouva soudain une sensation imprévue de réconfort et d'énergie et dut se retenir de tourner la tête vers lui de peur de se laisser aller à faire quelque chose d'idiot, comme de lui tendre ses lèvres pour un baiser. Par chance, il s'écarta et, sans un mot, se mit à remplir la bouilloire et à sortir des sachets de thé de la boîte qui se trouvait en évidence sur le comptoir.

— Est-ce que d'autres choses manquent ? reprit le policier. Des bijoux, des espèces, un appareil photo... ?

— Non, répondit-elle en secouant la tête. D'ailleurs, je me demande bien pourquoi.

— Ils ont probablement été dérangés en pleine action et se sont enfuis. De quelle marque était le téléviseur ?

— Une marque pas très connue. Euh, Wilson, je crois.

— Age approximatif ?

— Vingt ans. Trente peut-être. L'image était affreuse.

— Vous avez eu de la chance qu'ils emportent aussi peu de choses, commenta le sergent.

— Et aussi d'avoir été absente quand ils se sont introduits chez vous, ajouta Will. Vous auriez pu être blessée.

Il la dévisageait, les bras croisés, l'œil sévère.

— Quel système d'alarme avez-vous ?

— Nous n'en avons pas, répondit-elle repoussant d'une main lasse une mèche qui s'était échappée de sa natte.

— Je ne cherche pas à vendre mes produits, mais nous avons mis sur le marché une alarme à l'épreuve des cambrioleurs les plus habiles et les gens qui attachent quelque importance à leur sécurité ou à leurs biens devraient en être équipés, asséna Will.

— C'est une alarme très fiable, c'est vrai. La meilleure, dit Art calmement. Seulement, elle est trop chère pour nous.

Maeve se sentit coupable. Art lui avait conseillé cet achat, lui avait même proposé d'en payer la moitié, mais elle avait décliné son offre, pensant que personne n'irait cambrioler un petit cottage au bout d'une impasse.

— C'est ma faute. Je reconnais que j'ai eu tort. Mais maintenant, il est trop tard pour faire quoi que ce soit, le mal est fait.

— C'est absurde ! riposta Will. Très souvent, les voleurs reviennent après avoir repéré les lieux. Je vais vous donner une de mes alarmes et je l'installerai moi-même.

— C'est très généreux de votre part..., dit Art.

— Mais nous ne pouvons pas accepter, le coupa Maeve.

— C'est exactement ce que j'allais dire.

— Ne soyez pas ridicules, dit Will, arpentant la cuisine à grands pas. Je... j'avais de toute façon l'intention d'en donner une à tous mes employés en guise de remerciement. Vous recevrez la vôtre un peu plus tôt que les autres, voilà tout.

Maeve échangea un regard avec son père. Ni l'un ni l'autre ne croyaient à ce soi-disant projet de Will. Le subterfuge était grossier.

— C'est une sage décision, dit le policier d'un ton résolu comme si l'affaire était entendue. Mes collègues ne devraient plus tarder à venir relever les empreintes.

A la seconde même, on sonna à la porte. Tandis que le sergent faisait entrer deux nouveaux policiers, Maeve s'éclipsa. Elle voulait jeter un coup d'œil au garage. Rien ne semblait avoir été dérangé à cet endroit. Les outils, les sacs de terreau et d'engrais étaient à leur place. Et les pots de terre cuite, soigneusement empilés, que les vandales auraient pu saccager, étaient intacts.

Puis elle fit quelques pas dans le jardin où, tout à coup épuisée, elle s'effondra dans la balancelle. Pour oublier un peu l'épreuve qu'elle venait de subir, elle ferma les yeux et se laissa pénétrer du chant des oiseaux et des parfums subtils de la végétation.

— Est-ce que vous allez bien?

La voix de Will la fit sursauter.

— Vous êtes encore là? dit-elle d'un ton peu aimable.

— Je vous trouve bien désagréable, rétorqua-t-il avec un air de reproche.

Il s'assit à côté d'elle et, d'une impulsion du pied, lança la balancelle. Effleurant le front de Maeve du dos de sa main, il murmura :

— Vous devriez vous étendre.

Sa voix n'exprimait rien d'autre que de l'inquiétude. Alors, pourquoi son cœur s'était-il mis à battre la chamade? Pourquoi n'avait-elle plus qu'un seul désir, se pelotonner contre son épaule, nouer son bras puissant autour de son cou?

— Vous ne devriez plus être ici, dit-elle en sautant sur ses pieds. D'ailleurs pourquoi êtes-vous venu?

— Je voulais vous remettre une clé de ma maison, dit-il en la lui tendant. Je vais devoir passer de longues heures au bureau et je serai absent quand vous viendrez.

— Je n'entre pas chez mes clients en leur absence, se défendit-elle, résistant au désir d'accepter la clé, d'entrer dans sa vie par une autre porte que celle du jardin.

— Vous pourriez avoir besoin d'utiliser la salle de bains, ou avoir envie d'une tasse de café, insista-t-il en pressant la clé dans sa main et refermant ses doigts autour. Je vous en prie, prenez-la.

— Mais je ne la veux pas, dit-elle, tentant encore de résister.

L'instant d'après, sans pouvoir dire lequel des deux avait bougé, ils étaient si proches l'un de l'autre que leurs souffles se mêlaient. Elle se sentit chavirer sous l'intensité de son regard bleu.

— S'il vous plaît, partez. Je ne veux pas de votre système d'alarme, ni de votre compassion, ni...

Dans son dos, la porte de la cuisine gémit sur ses gonds. Dégageant brutalement sa main de celle de Will, Maeve fit volte-face.

— Maeve, le sergent aimerait te parler, dit Art avant de fixer Will d'un œil offusqué.

— Je viens.

Elle se tourna vers Will, incapable de savoir quelle attitude adopter devant son visage fermé. Elle aurait voulu lui rendre la clé, mais préféra s'abstenir, craignant que son père n'en tire de nouvelles conclusions.

— Ils t'attendent à l'intérieur, Maeve, répéta Art en descendant les marches qui les séparaient.

Comme elle arrivait à la porte de la cuisine, Maeve entendit son père apostropher Will :

— Fichez le camp maintenant ! Vous avez beau être mon patron, je ne vous laisserai pas importuner ma fille !

Glissant la clé dans sa poche, elle poussa la porte.

**

Maeve ne retourna pas chez Will durant les cinq jours qui suivirent. Elle enregistra une déclaration de vol auprès de son assureur, fit l'achat d'un nouvel ordinateur et réinstalla tous ses dossiers. Ensuite, elle prêta main-forte à son assistant, Tony, qui avait pris le relais auprès des autres clients tandis qu'elle démarrait le chantier chez Will.

Le sixième jour, elle décida que son absence prolongée n'était pas seulement ridicule, mais tout simplement inconséquente. Elle avait des plantes à repiquer et un jardin à aménager. L'entrepreneur qui devait s'occuper des ferronneries attendait ses instructions et le maçon chargé de la construction du cabanon, près des lilas, commençait ce jeudi matin.

Elle avait fait en sorte de ne pas arriver à Sorrento avant 9 heures afin de ne pas croiser Will. Pourtant, ce ne fut qu'une fois à destination, lorsqu'elle constata de ses propres yeux que sa voiture n'était pas à sa place habituelle, devant le garage, qu'elle se détendit.

L'entrepreneur la rejoignit peu après. Elle lui indiqua l'emplacement des grilles de fer forgé, choisit la teinte exacte de la peinture, une nuance de crème à peine rosé, puis lui parla du tourniquet de Cupidon, commandé chez un spécialiste de Sydney, qu'elle lui demanderait d'installer ultérieurement.

Sur ces entrefaites, et avec près de deux heures de retard, le maçon arriva. Elle lui expliqua, dessin à l'appui, ce qu'elle désirait : une petite bâtisse carrée, sans toit, avec des murs d'un mètre quarante de hauteur et une ouverture face aux lilas. Tout autour de la structure de brique, elle projetait de poser un treillis, que des pieds de jasmin couvriraient entièrement par la suite, ne laissant qu'un étroit passage par lequel seuls des enfants pourraient se glisser.

Lorsque le bébé que Will et Ida attendaient serait en âge de jouer dehors, il aurait ainsi un lieu secret, bien à lui, avec un toit de verdure et de la lumière. Will devrait juste tailler le jasmin de temps à autre.

Le maçon travaillait vite et bien et, avant la fin de l'après-midi, les quatre murs étaient montés. Les briques rouge sombre aux arêtes irrégulières donnaient un caractère ancien à la bâtisse. Il ne manquait plus qu'un banc de bois à l'intérieur, et peut-être une vieille souche faisant office de table.

Lorsqu'il fut parti, elle resta debout un moment à admirer le résultat, les yeux mi-clos, imaginant à quoi ressemblerait le cabanon trois ans plus tard, dissimulé sous le feuillage, frais et accueillant par un après-midi étouffant. Perdue dans ses songes, elle crut soudain apercevoir, dans un entrelacs de fleurs de jasmin, les membres frêles et bruns d'un petit être qui disparaissait dans son propre monde.

Soudain, d'une manière tout à fait imprévue, le souvenir de Kristy surgit dans son esprit. Kristy, qui n'avait pas vécu assez longtemps pour courir et jouer au soleil. Elle serra les poings et s'éloigna, luttant désespérément contre la douleur qui s'emparait d'elle. Mais le chagrin semblait jaillir du plus profond d'elle-même dans un flot continu et irrépressible qui la vidait de ses forces. Ses jambes la portèrent dix mètres encore puis elle tomba à genoux dans une attitude de prière. Une prière sans réponse. « Oh, Kristy, mon bébé ! »

Les sanglots l'étouffaient, mais elle refusait de se laisser aller, dans ce lieu étranger, à verser les larmes qu'elle retenait depuis des années. Longtemps, la tête bourdonnante, la poitrine douloureuse, elle demeura assise dans l'herbe, les yeux perdus dans le lointain, appelant de ses vœux l'engourdissement salutaire qui suit toujours un accès de chagrin.

Un éclat de soleil sur sa montre lui fit soudain prendre conscience de l'heure avancée. Will pouvait arriver d'un instant à l'autre. Avec lassitude, elle se mit en devoir de rassembler les outils et les pots vides, puis les chargea dans la camionnette. Ce ne fut qu'après avoir fait demi-tour dans l'allée qu'elle se souvint de la clé de Will. Elle avait eu l'intention de la cacher sous un pot de fleurs à l'arrière de la maison et de laisser ensuite un message sur son répondeur lui indiquant où il pourrait la trouver, mais, dans sa hâte à quitter les lieux, elle avait oublié. Devait-elle prendre le risque d'y retourner?

Elle était en train de se poser la question quand un coup de Klaxon retentit. Son pied écrasa la pédale de frein, juste à temps pour éviter une collision avec la Mercedes de Will. Les mains moites, elle fit marche arrière dans l'allée pour lui laisser le passage.

Lorsqu'il ralentit à la hauteur de sa portière, elle crut que son cœur allait s'arrêter de battre. « Pourvu qu'il ne descende pas pour me parler ! » se dit-elle. Elle avait tant de choses à lui dire, et tant d'autres qu'elle devait taire.

Mais il ne sortit pas de sa voiture. Pas plus qu'il ne descendit sa vitre. Il la regarda simplement d'un air grave et fit un signe de tête auquel elle répondit de la même manière. Puis il embraya et la Mercedes repartit lentement en direction du garage.

Maeve démarra à son tour et accéléra aussitôt, essayant de calmer les battements désordonnés de son cœur.


On était aux alentours de la mi-février. Il était encore tôt ce samedi-là et, comme elle sortait de sa chambre, Maeve fut surprise de trouver son père occupé à lacer ses bottes, assis sur la chaise du couloir.

— Que fais-tu en tenue de travail? C'est samedi aujourd'hui.

— Il faut terminer la préparation des dernières commandes avant la fermeture. Le temps presse maintenant et Will nous a demandé de venir à l'usine.

— Je n'en crois pas mes oreilles, dit-elle en serrant sa robe de chambre autour d'elle. Il vous jette à la rue et vous êtes encore à ses ordres !

— Je dois reconnaître que mon estime pour lui a quelque peu diminué, avoua Art d'un air sombre. D'ailleurs, ton comportement ne me plaît pas plus que ça non plus...

— Mais je t'ai dit qu'il ne s'était rien passé !

— De toute façon, il est encore mon employeur et, en tant que tel, je n'ai jamais rien à lui reprocher, poursuivit-il sans relever sa protestation. Aussi longtemps que je travaillerai pour Aussie, je respecterai les termes de mon contrat. Même si cela inclut quelques heures supplémentaires.

Sur ces mots, il ramassa son sac et ouvrit la porte.

— Tu es complètement aveugle ! lança-t-elle dans son dos.

— A ce soir, Maeve.

Apprenant que Will serait finalement à l'usine, Maeve, qui avait décidé de s'accorder une demi-journée de liberté, pensa un moment modifier son programme. Cependant, son hésitation fut de courte durée : il y avait assez d'un fou dans la famille.

Elle se prépara tranquillement une tasse de café puis s'installa devant son ordinateur. Elle était plongée dans ses comptes quand le téléphone sonna et c'est d'un geste machinal qu'elle tendit la main vers le combiné.

— Allô !

— Maeve ?

Son cœur bondit dans sa poitrine. C'était Graham.

— Bonjour. Où es-tu ?

— Au port de plaisance de Mornington, je suis arrivé ce matin. Est-ce qu'on peut déjeuner ensemble ?

— Je ne suis pas libre aujourd'hui, mentit-elle, espérant le décourager.

— D'accord. Alors quand ?

— Euh..., hésita-t-elle tout en songeant que, s'il avait fait tout ce chemin depuis Sydney pour la voir, elle ne pouvait guère lui refuser un déjeuner. Mardi ?

— Parfait. A midi, au Grand Hyatt. A bientôt.

Le Grand Hyatt ! De toute évidence, il cherchait à l'impressionner.

Abandonnant ses comptes, elle prit une douche, passa une longue robe fleurie, fluide et sans manches, puis, s'étant servi une nouvelle tasse de café, alla s'installer dans la balancelle du jardin. Elle se laissa bercer un moment, mais dut bientôt se lever afin de fuir le souvenir de Will. Elle se mit à errer dans les allées, tourmentée, coupant ici une fleur fanée, arrachant là une mauvaise herbe.

Il fallait vraiment songer à se procurer un système d'alarme pour la maison. Un instant, elle envisagea d'acquérir une de ces contrefaçons japonaises bon marché, mais en éprouva aussitôt une vive culpabilité. C'était ce genre de comportement qui, à grande échelle, avait été la cause de l'effondrement d'Aussie Electronique coûtant leur travail à son père et à tous les employés.

La sonnerie du téléphone retentit de nouveau à l'intérieur de la maison. En grommelant, elle retourna dans la cuisine.

— M. Hodgins ? Non, il est absent pour le moment. Puis-je prendre un message ?

D'abord incrédule, puis avec une attention grandissante, elle écouta son interlocuteur lui faire part de l'intérêt que sa société portait à son père et l'informer qu'Art était invité à s'entretenir avec le chef du personnel.

— J'essaie de le joindre tout de suite, assura-t-elle tout en prenant note des détails.

Sans hésiter une seconde, elle enfila une paire de sandales et se dirigea vers sa voiture. Jamais elle n'avait interrompu Art au beau milieu d'une journée de travail, mais la personne qu'elle venait d'avoir au téléphone avait laissé entendre que les autres candidats avaient déjà été reçus, aussi ne fallait-il pas perdre de temps.

Dix minutes plus tard, elle entrait dans la zone industrielle de Mornington. Elle suivit les panneaux qui indiquaient Aussie Electronique, l'usine autrefois prospère et pourtant bientôt désaffectée, et se gara dans le parking des visiteurs devant le bâtiment principal.

— Bonjour. Vous êtes Renée, n'est-ce pas ? dit-elle en approchant de la femme blonde qui se tenait à l'accueil. Je suis Maeve, la fille d'Art Hodgins. Nous nous sommes parlé quelquefois au téléphone.

— Ravie de vous rencontrer, Maeve. En quoi puis-je vous être utile ?

— J'aimerais voir mon père, si c'est possible. C'est urgent.

— Pas de problème, répondit Renée en se levant et l'invitant à la suivre. Rien de grave, j'espère ?

— Non. Vous êtes sûre que ma présence ne lui causera pas d'ennuis ? demanda-t-elle, soudain inquiète.

— Bien sûr que non, répliqua Renée en riant. M. Beaumont est très accommodant, vous savez. D'ailleurs, c'est presque l'heure de la pause.

Elles passèrent devant une salle de réunion vitrée, puis devant plusieurs bureaux. Maeve ressentit un malaise indéfinissable lorsqu'elle reconnut le nom de Will sur une des portes ouvertes. Elle jeta malgré elle un coup d'œil dans la pièce. Ouf ! Elle était vide.

— Je suppose que les employés ont été très secoués par les récentes décisions, hasarda-t-elle.

— M. Beaumont fait tout son possible pour nous trouver de nouveaux emplois. Il y a un ou deux agitateurs parmi le personnel, mais la grande majorité comprend la situation, répondit Renée en s'effaçant devant une porte. Entrez, je vous en prie.

Maeve pénétra dans une vaste salle où de longs établis étaient alignés. La lumière naturelle qui entrait à flots par les larges baies était complétée par des tubes à incandescence et, à chaque poste de travail, par des lampes individuelles. Guidée par Renée, elle traversa l'atelier dans toute sa longueur, découvrant avec curiosité l'univers de son père. Perchés sur de hauts tabourets, les techniciens, vêtus de salopettes et coiffés de capuches en papier, assemblaient des composants électroniques qu'ils déposaient ensuite, à l'extrémité des établis, sur un tapis roulant qui transportait les pièces à la station de montage suivante. L'un d'eux, qui soudait des condensateurs sur un circuit, lui lança une œillade au travers de ses lunettes de sécurité alors qu'elle faisait une courte pause à sa hauteur. Elle lui sourit.

Voir de ses propres yeux l'usine de Will apportait une nouvelle dimension au personnage comme si l'énergie, la détermination, le travail acharné de l'homme s'étaient soudain concrétisés. Pour la première fois, elle mesura le profond sentiment de perte qu'il devait ressentir.

— Art est dans son bureau, dit Renée comme elles approchaient d'un petit espace vitré au fond de la salle.

Maeve ne put qu'entrevoir le haut de la tête de son père, dissimulé par un groupe d'employés qui se penchaient au-dessus de lui. Puis un technicien s'écarta et Maeve ralentit brusquement le pas. Will se trouvait parmi eux.

— Ça ne fait rien, la rassura Renée. Venez !

Lui ne verrait peut-être pas d'inconvénient à la voir ainsi surgir, mais elle en voyait un, et de taille. Néanmoins, elle se força à avancer.

Will tirait des cartons d'une pile derrière le bureau et les tendait, un par un, aux employés, tandis qu'Art cochait leurs noms sur une liste au fur et à mesure. A en juger par les visages souriants, le contenu des boîtes était intéressant.

— Que font-ils ? demanda-t-elle à Renée.

— M. Beaumont donne à chacun des membres du personnel un exemplaire de sa dernière invention : l'alarme de sécurité. Même les gardiens y ont droit.

Cependant, deux hommes échangèrent un regard noir en sortant du bureau. L'un des deux bouscula Maeve en passant près d'elle sans même s'excuser.

— S'il croit qu'il peut se débarrasser de nous grâce à une fichue alarme..., marmonna le plus grand.

— Il nous fait faire des heures supplémentaires et il voudrait en plus passer pour un brave type, ajouta l'autre.

— McLeod et Kitrick, glissa Renée à voix basse. Je crois que M. Beaumont ne les aurait pas gardés à la fin de leur période d'essai ; malheureusement, il a besoin de tous les bras disponibles. Et ils le savent...

— Que peut-il faire pour les mécontents ?

— Rien. Mais ne vous inquiétez pas. Ils sont en minorité.

Et, en effet, lorsque la pause du matin eut sonné, les employés s'attardèrent pour continuer à discuter, apparemment peu pressés de rejoindre la salle de repos. Sans doute ne saurait-elle jamais si Will avait pris depuis longtemps cette décision d'offrir une alarme à son personnel, mais en tout cas, il avait tenu sa promesse.

Ce qui signifiait qu'il tiendrait probablement aussi celle qu'il leur avait faite, à elle et à Art, d'installer lui-même l'alarme chez eux.

— Allez-y, Renée, dit-elle après l'avoir remerciée de l'avoir accompagnée jusque-là. Je me débrouillerai maintenant.

Renée partie, elle attendit que le groupe se fût dispersé, laissant Will et Art seuls dans le bureau, puis elle s'avança, un sourire aux lèvres.

— Bonjour.

— Qu'est-ce qui vous amène à l'usine ? demanda Will froidement, après un bref hochement de tête.

— J'ai un message important pour mon père. A propos d'un entretien d'embauche.

Comme elle se réjouit de l'étonnement qu'elle lut dans les yeux de Will ! Mais cela ne dura qu'une seconde, car elle aurait juré que son expression de surprise avait presque aussitôt fait place à une intense satisfaction. Bon, elle devait l'admettre, Will était quelqu'un de bien. Et quand bien même ! Art n'avait pas besoin de lui. Et elle non plus. Alors, adieu, M. Beaumont !

— Tu es sûre d'avoir bien compris ? intervint alors Art d'un air perplexe. Je n'ai encore postulé nulle part.

— Quoi ? dit-elle, décontenancée à son tour. Comment dans ce cas ont-ils eu ton nom ?

Art tourna vers Will un regard interrogateur.

— J'ai passé un ou deux coups de fil, avoua Will en haussant les épaules. Je vous souhaite bonne chance, ajouta-t-il en s'éloignant, non sans adresser un clin d'œil de connivence à Maeve.

Médusée, elle le regarda partir, à la fois heureuse de constater qu'il avait un cœur d'or et désireuse de le briser car il ne battait pas pour elle.

# 8.

Le lundi soir suivant, alors que Sally avait quitté le bureau depuis plus d'une heure et que les lampadaires, au-dehors, s'allumaient en clignotant, Ida était encore en plein travail. Elle jeta un coup d'œil à la pile de dossiers posée à côté d'elle, soupira et décida finalement qu'il était temps de rentrer.

La sonnerie du téléphone retentit alors qu'elle refermait son porte-documents. Qui pouvait bien appeler au bureau à cette heure ? Haussant les épaules, elle laissa se déclencher le répondeur et enfila ses escarpins en grimaçant. Un remords la retint à la porte. Ne ferait-elle pas mieux d'écouter le message, afin de savoir ce qui l'attendait le lendemain matin ?

— Ida ? disait une voix familière. C'est moi, Rick.

Ida s'immobilisa sous le choc. Sa serviette lui glissa des mains et tomba sur le sol avec un bruit sourd.

— Ida, tu es là ? Je viens d'essayer de te joindre chez toi, mais tu n'y étais pas.

Il y eut un silence puis des craquements sur la ligne. Ida tendit brusquement le bras vers le combiné, craignant soudain qu'il n'ait raccroché. Mais avant qu'elle ait pu s'en saisir, la voix avait repris :

— Je suis à l'aéroport de Los Angeles, je prends un avion pour Melbourne dans quelques minutes.

Mon Dieu ! Il revenait !

— Je serai en ville mardi. Peut-on déjeuner ensemble ? Essaie de te libérer et rejoins-moi sur le pont de Swanton Street à midi.

Ida se mordit la lèvre. C'est sur ce pont qu'il l'avait embrassée la première fois. De nouveau, elle hésita à décrocher.

— Bon, j'espère que tu pourras venir. A bientôt.

Un déclic signala la fin du message. Le cœur en miettes, elle s'effondra dans son fauteuil. Sur ses joues coulaient des larmes de joie et de terreur. Comment allait-elle annoncer à Rick qu'elle se mariait ? Et surtout, perspective affolante, comment lui parler du bébé ?

— J'ai enfermé la boîte de contrôle dans le placard de l'entrée, expliqua Will. A la moindre tentative d'effraction, les senseurs à infrarouges placés près des issues envoient un signal à la centrale qui déclenche l'alarme.

Maeve essayait de se concentrer sur les commandes numériques dont Will lui décrivait le maniement, mais, curieusement, l'attitude distante, professionnelle, qu'il adoptait ne faisait qu'accentuer son trouble. Et la vue de son corps hâlé et musclé n'arrangeait rien. Elle s'était repliée dans le jardin pendant qu'il installait l'alarme, mais elle était bien forcée, à présent, de rester à son côté pour écouter ses instructions et son émotion était telle qu'elle se demandait si elle serait capable de répéter les consignes à son père quand il rentrerait.

— Excusez-moi, j'ai oublié à quoi servait ce bouton.

Il se tourna vers elle et, quand ses yeux rencontrèrent

les siens, Maeve sentit son cœur s'arrêter de battre. C'était la première fois qu'il la regardait depuis son arrivée. Lui non plus ne devait pas se sentir très à l'aise en sa présence, ce qui ne donnait que plus d'importance à sa démarche. Elle l'en aima davantage et se dit, une fois encore, que la perspective de son mariage était intolérable...

— Vous y êtes cette fois? demanda-t-il en la dévisageant d'un air bizarre.

— Désolée, je n'ai pas la tête à ça aujourd'hui, répondit-elle en se détournant, consciente du feu qui lui montait aux joues.

— Je ne veux pas vous laisser sans protection. Je veux dire... J'aimerais m'assurer que l'alarme fonctionne correctement avant de partir. Il faut juste entrer un mot de passe.

— Je lirai les instructions du manuel.

— Maeve, on peut le faire maintenant.

Il avait parlé d'une voix tendre qui la fit littéralement fondre. Incapable de résister, elle se tourna de nouveau vers lui.

— Vous devez choisir un mot de passe dont Art se souviendra aussi aisément que vous, continua-t-il. Un mot de quatre lettres.

— Ah, voilà! K-A-T-H, dit-elle en composant les lettres sur le clavier. Ma mère se nommait Kathleen, mais nous l'appelions Kath.

— N'hésitez pas à faire appel à moi si vous avez besoin de quelque chose, dit-il en rabattant le couvercle de la centrale.

Il était sur le point de la quitter quand elle le retint en posant la main sur son bras.

— Je... je ne me suis pas montrée très agréable quand vous nous avez offert cette alarme, mais je voulais que vous sachiez que j'apprécie beaucoup votre geste.

— Ne me remerciez pas, dit-il en atteignant la porte.

— Voulez-vous un café ?

— Non, merci. Il ne vaut mieux pas.

Pourtant, sur le seuil, il s'appuya contre le linteau et dit d'une voix rauque :

— J'ai vu la maisonnette près des lilas. Cela m'a touché. Là, ajouta-t-il en portant la main à son cœur.

— Je fais mon travail, répondit-elle, s'appliquant à dissimuler la joie intense qui l'envahissait.

Debout sous les roses grimpantes de la véranda, elle le regarda partir. Ils s'étaient bien conduits. Ils n'avaient prononcé aucune parole qu'Ida n'eût pu entendre. Et si certains regards échangés avaient trahi leurs désirs, ils n'étaient pas passés à l'acte.

Un sentiment d'euphorie habita Maeve toute la journée. Ce n'est que le soir venu, une fois couchée, alors qu'elle se remémorait, minute par minute, les événements de la journée, qu'elle se rendit compte que cette allégresse n'était due qu'à l'attirance croissante qu'elle éprouvait envers Will.


Un travail urgent chez un autre client s'étant présenté, elle ne retourna pas chez Will avant la semaine suivante. Elle arriva dans son jardin aux alentours de midi, les bras chargés de fleurs coupées. Après réflexion, un simple « merci » pour le système de sécurité ne lui avait pas paru suffisant, et, du reste, la maison de Will manquait de gaieté.

Elle composa le code qu'il lui avait donné et introduisit la clé dans la serrure. Elle n'entrerait que quelques minutes, le temps d'arranger les fleurs dans des vases.

La cuisine, lumineuse et colorée, correspondait si bien à ses propres goûts qu'elle s'y sentit aussitôt comme chez elle. Le bleu outremer des carrelages et des pots émaillés sur le rebord de la fenêtre était en harmonie parfaite avec le jaune des murs. Elle posa la brassée de fleurs sur le comptoir, puis, observant les placards, se demanda où il pouvait bien ranger les vases. Se glissant dans la peau de Will, elle se dit qu'il n'en possédait probablement pas. Sans doute se servait-il, au besoin, de bocaux vides et dans ce cas...

Elle se pencha vers le placard situé sous l'évier et l'ouvrit. Et voilà! Il y avait même une vieille cruche de verre assez grande pour contenir les iris bleus et les dahlias jaunes. Ayant posé le bouquet sur la table, elle recula pour mieux juger de l'effet. Inconsciemment, elle avait choisi les couleurs qui s'harmonisaient parfaitement avec la cuisine.

Parcourant les pièces du rez-de-chaussée, elle déposa ensuite un bouquet de roses blanches sur la table d'acajou de la salle à manger, un autre d'anémones multicolores dans le salon et enfin un pot de freesias délicatement parfumés dans la salle de bains.

C'était parfait. Elle souriait en retournant dans la cuisine, imaginant la surprise de Will quand il découvrirait son cadeau.

Une silhouette menue se découpait en contre-jour sur la baie vitrée de la cuisine.

Ida fit un pas en avant, regarda les fleurs puis Maeve.

— Bonjour, j'étais juste venue pour..., commença Maeve en jouant nerveusement avec l'extrémité de sa natte. Will m'a donné la clé afin que je puisse utiliser la salle de bains et j'avais toutes ces fleurs...

Elle s'interrompit. Peu importaient ses explications, sa présence à l'intérieur de la maison ne pouvait que sembler suspecte à Ida.

Mais, à sa grande surprise, le visage de la jeune femme se fendit d'un sourire ravi.

— Elles sont magnifiques ! Comme c'est délicat de votre part ! s'exclama Ida tout en passant la tête dans la salle à manger. Et ces roses ! C'est exactement ce qui manquait ici. Will va adorer. Merci beaucoup.

Maeve poussa un soupir de soulagement. Evidemment, il n'y avait aucune raison pour qu'Ida se montrât inquiète ou soupçonneuse. Elle était sûre de l'amour de Will et elle portait son enfant. Une douleur fulgurante traversa Maeve à cette pensée, d'autant plus aiguë qu'elle avait déjà appris à apprécier la jeune femme.

— J'ai quelque chose à vous demander, dit Ida. J'avais l'intention de vous téléphoner, mais puisque vous êtes là... Accepteriez-vous de vous occuper des fleurs pour notre mariage ?

Pourquoi semblait-elle si incertaine du bien-fondé de sa requête ?

— Euh... à vrai dire, les bouquets ne sont pas ma spécialité, répondit Maeve sur la réserve.

— Excusez-moi, je me suis mal fait comprendre. J'avais pensé, étant donné que la cérémonie aura lieu dans le jardin, créer une allée, bordée de chaque côté par de gros pots de fleurs. Café ? ajouta-t-elle en remplissant la bouilloire.

— Euh... oui, fit Maeve qui tentait désespérément de se raccrocher à l'idée que, quelques semaines plus tard, elle pourrait, si elle en avait envie, partir en bateau, loin d'ici.

Ida se mouvait dans la cuisine de Will avec aisance et naturel, sortant les tasses d'un placard, le café d'un autre, et Maeve se contraignit à l'imaginer, un an plus tard, se livrant au même rituel, mais avec un bébé sur la hanche. Toutefois, le procédé se retourna contre elle, la plongeant aussitôt dans un magma de souvenirs douloureux. Kristy. Dont elle sentait encore les jambes potelées enroulées autour de sa taille, les adorables menottes agrippées à ses manches, dont elle voyait les yeux brillants, grands ouverts sur le monde.

— Je voulais aussi vous inviter à nos fiançailles, continua Ida avec une légère raideur. C'est samedi en huit. Un simple barbecue, ici. J'espère que vous pourrez venir.

Prise au dépourvu, ne sachant quelle excuse inventer, Maeve acquiesça faiblement :

— Merci. Cela me fera très plaisir. Enfin, si Will n'y voit pas d'inconvénient.

— Mon Dieu, non ! C'est même lui qui l'a suggéré.

Maeve dut faire un effort pour maîtriser l'accélération de son cœur. Il s'agissait des fiançailles de Will, et non d'un rendez-vous.

— Que porterez-vous le jour du mariage ? demanda-t-elle.

— Quelque chose de large, j'imagine, répliqua Ida avec une grimace. Mes vêtements sont déjà trop serrés.

— Ça ne se voit pas, dit-elle, sincère. Comment vous sentez-vous ?

— Je suis dans une forme éblouissante, assura Ida.

Pourtant elle parut soudain se trouver à des lieues de là. Brusquement, elle se tourna vers le réfrigérateur et ajouta :

— Vous prenez du sucre et du lait ?

— Seulement du lait, merci.

Est-ce que quelque chose l'inquiétait à propos du bébé ? Ou de Will ? Oserait-elle l'interroger ?

— Tout va bien ? risqua-t-elle.

— Oui, répondit Ida avec un sourire forcé. En fait, je viens juste de recevoir de bonnes nouvelles. Un de mes amis, de San Diego, m'a appelée pour m'avertir de son arrivée la semaine prochaine.

Maeve la regardait verser l'eau frémissante sur le café en poudre. Ida n'avait pas l'air particulièrement réjoui.

— Seriez-vous anxieuse de mettre un bébé au monde ?

— Vous voulez dire, à cause de l'accouchement ? dit-elle en lui tendant une tasse. Pas vraiment. Will et moi assistons aux cours d'accompagnement à la naissance.

— Mais...

Maeve se tut brusquement. Ce n'était pas parce qu'elle avait perdu son propre enfant à l'âge de onze mois que toutes les jeunes mères devaient vivre dans l'angoisse. Elle n'avait pas le droit de gâcher la joie d'Ida.

— Will est-il très excité par la préparation du mariage ?

— Je ne dirais pas ça. Bien sûr, il se réjouit de l'arrivée du bébé, mais il n'est pas d'un tempérament très sentimental.

— Je suppose que l'usine le préoccupe beaucoup en ce moment.

— Hum, peut-être. Enfin, oui, bien sûr... De toute façon, je n'ai aucune raison de me faire du souci. Will est fantastique. Je peux très bien m'accommoder de son manque de romantisme, dit-elle avec une expression qui démentait ses propos.

— Peut-être a-t-il simplement besoin que vous lui rappeliez gentiment combien vous apprécieriez un geste délicat, comme un bouquet de fleurs ou une invitation à dîner dans un endroit agréable.

— Il m'emmène voir un match de football pour mon anniversaire, dans deux semaines, commenta Ida, les yeux dans le vague.

— Seriez-vous une de ces farouches supportrices qui arborent les couleurs de l'équipe et agitent leurs foulards dans les tribunes le soir de la finale ?

— Non, se défendit Ida en riant. Je ne connais même pas le nom des équipes.

— Eh bien, je crois savoir que le match dont vous parlez oppose les Bombers aux Magpies. Mon père m'en rebat les oreilles depuis une semaine.

— Que diriez-vous d'envoyer Will et votre père au stade, ce soir-là, tandis que nous irions passer la soirée en ville ? suggéra Ida.

— C'est tentant. Cependant, je pense que Will et vous devriez profiter de l'occasion pour passer un agréable moment, insista Maeve.

Sans répondre, Ida se leva pour rincer sa tasse sous le robinet.

— Je dois y aller, maintenant.

Maeve lui emboîta le pas et ferma la porte derrière elles. Une jeune femme mérite bien quelques attentions à la veille de son mariage, songeait-elle en regardant Ida s'installer dans sa voiture. Si elle ne pouvait lutter contre ses propres sentiments envers Will, peut-être pourrait-elle se racheter en faisant en sorte qu'Ida connaisse les instants romantiques dont elle rêvait ?


— J'ai de bonnes et de mauvaises nouvelles, annonça Art ce soir-là lorsqu'elle fut rentrée. Par quoi dois-je commencer ?

Vêtu de son habituel tablier rose, un verre de bière dans une main, un couteau dans l'autre, il affichait une mine réjouie.

— On dirait que nous avons quelque chose à fêter, observa-t-elle en remarquant les deux steaks d'aloyau posés sur le comptoir. J'ai hâte d'apprendre de quoi il s'agit.

— Tu te souviens de l'entretien que j'ai eu chez A. B. Electronique ?

— Oui ! dit-elle en sortant une bouteille d'eau du réfrigérateur.

— Ils ont repris contact aujourd'hui. Le poste de contremaître est à moi.

— Papa, c'est formidable ! Félicitations ! s'exclama-t-elle en posant la bouteille pour l'embrasser. Tes soucis sont enfin terminés.

Art se rembrunit.

— Tu as oublié la mauvaise nouvelle.

— Est-ce si grave ? demanda-t-elle légèrement en grignotant un morceau de carotte crue. Will pourrait fermer dix usines désormais, sans que cela t'affecte.

Mais il avait l'air ébranlé. Elle se souvint qu'il ne lui appartenait pas de se soucier de Will. C'était le rôle d'Ida.

— L'entreprise voudrait que je commence immédiatement. Ou au plus tard dans une semaine.

— Et alors ? interrogea-t-elle, feignant de ne pas comprendre.

Art s'assit pesamment et fit tourner son verre entre ses mains.

— Je ne peux pas laisser tomber Will en ce moment. Il faut livrer les dernières commandes. Et le départ d'un contremaître démoraliserait le personnel.

— Je comprends ton sentiment, dit-elle en s'asseyant en face de lui, mais tu dois penser à toi. Will ne se sacrifierait pas pour ses employés, quels que soient le respect ou l'attachement qu'il a pour eux. Ne laisse pas ta loyauté t'aveugler et accepte cet emploi.

— Je ne sais pas...

Elle soupira.

— Will savait que tu risquais de partir avant la fin de ton contrat lorsqu'il t'a recommandé.

— Oui, mais...

148

— Il ne veut pas que tu te retrouves les mains vides quand Aussie fermera ses portes. Il tient à ce que tu t'en sortes, insista-t-elle, d'autant plus persuasive qu'elle était certaine de ce qu'elle avançait.

— Tu as peut-être raison, dit-il avec une moue dubitative. Je vais y réfléchir.

— C'est tout réfléchi, rétorqua-t-elle. Appelle dès maintenant et dis-leur que c'est d'accord. Will est un homme juste. Il comprendra.

— Impossible. Il est plus de 6 heures, les bureaux sont fermés.

— Dans ce cas, dit-elle en levant les yeux au ciel d'un air résigné, allume le barbecue et occupons-nous de nos steaks.

Le samedi suivant, la mer étant désespérément plate, Will se rendit à son atelier, bien décidé à s'atteler à son projet d'amélioration du panneau solaire, tout en se demandant si Maeve se montrerait au cours de la matinée. Plusieurs fois, il se surprit à guetter le bruit caractéristique du moteur de la camionnette qui, finalement, se fit entendre aux alentours de 10 h 30.

Il s'était promis d'attendre qu'elle eût déchargé son coffre pour l'accueillir, mais il se retrouva bientôt debout à la porte du bungalow, bouillant d'impatience. Lorsqu'elle apparut au coin de la maison, poussant une brouette chargée d'outils, il tressaillit. Au lieu de son habituel pantalon de travail kaki, elle portait ce jour-là un short ample qui révélait de longues jambes musclées et un débardeur violet qui moulait sa poitrine et laissait voir son ventre plat et ferme.

— Venez voir votre panneau solaire, lui cria-t-il.

Un sourire illumina le visage de Maeve, puis, aussitôt,

s'effaça, faisant place à une expression de réserve qui se durcit encore à mesure qu'elle approchait. Sa bouche était maintenant pincée et ses sourcils froncés.

— J'ai entendu dire qu'on avait retrouvé votre téléviseur dans une poubelle de l'Armée du Salut, lança Will bien décidé à faire revenir au plus vite un sourire sur son visage.

En fait, Art lui avait dit que la police avait découvert la télévision et la chaîne hi-fi au mont-de-piété de Frankston, sur la route de Melbourne.

— Ha, ha! très drôle, dit-elle.

— Il paraît qu'elle fonctionne si mal que même les nécessiteux n'en veulent pas.

— Qui a dit ça? demanda-t-elle vexée.

Les rides entre ses sourcils avaient disparu et les coins de sa bouche s'étaient relevés, mais Will n'était pas disposé à cesser de plaisanter tant qu'il n'aurait pas obtenu d'elle un vrai sourire épanoui.

— La prochaine fois que des malfaiteurs s'introduiront chez vous, il se pourrait bien qu'ils vous apportent une télévision flambant neuve.

— Arrêtez, dit-elle en riant tandis qu'une étincelle de malice s'allumait dans ses yeux.

— Voilà le visage que je désire voir! Maintenant, je peux vous montrer le nouveau régulateur, conclut-il, satisfait, en l'invitant d'un geste à s'approcher de l'établi. C'est cette boîte noire, fixée au panneau, qui, combinée avec la nouvelle batterie, devrait tripler à la fois le taux de charge et la capacité de stockage de l'énergie. Je n'ai pas encore tout à fait terminé le montage, mais tous les problèmes de conception sont résolus.

— Will, vous êtes un génie! s'exclama-t-elle, radieuse. Comment pourrais-je vous remercier?

— C'est inutile. Je me suis beaucoup amusé,

150

répliqua-t-il, comblé par l'excitation et le plaisir qu'elle ne cherchait pas à dissimuler. Mais ce n'est pas tout. L'énergie supplémentaire accumulée, associée au thermorégulateur, vous permettra de chauffer une quantité d'eau donnée à une certaine température, avec laquelle vous alimenterez une partie des circuits, puis un deuxième volume d'eau à une température plus élevée, qui emplira une autre section des tuyaux, et ainsi de suite, de façon à conduire trois expériences dans le même temps.

Comme elle ne réagissait pas, il ajouta :

— Si ce n'est pas suffisant, je peux ajouter d'autres senseurs.

— C'est parfait. Exactement ce dont j'avais besoin, dit-elle enfin, sans détacher son regard du thermorégulateur.

— Quelque chose vous chiffonne ? demanda-t-il en lui relevant le menton.

Ses yeux sombres étaient animés d'une profonde gratitude, mêlée, lui sembla-t-il, d'un sentiment plus obscur. Will laissa sa main retomber. Il ne devait pas la toucher.

— Non, rien du tout. Merci.

Brusquement, elle lui tourna le dos et s'éloigna.

Il la suivit, les mains dans les poches. Jamais encore il n'avait senti son cœur s'emballer de cette manière. D'où venaient ce désir croissant, ce besoin impérieux de la voir, de la toucher, de la faire rire ? Etait-ce à cause des circonstances qui lui interdisaient de la connaître mieux ? Oui, c'était probablement ça. Le banal attrait du fruit défendu.

— C'est bientôt l'anniversaire d'Ida, dit-elle, en s'arrêtant sur le seuil.

— Oui. Nous allons voir un match de football, Magpies contre Bombers.

— Un match de foot ? C'est l'idée que vous vous faites d'une soirée romantique ? s'exclama-t-elle d'un ton de reproche. Vous vous êtes donné un mal infini pour améliorer un panneau solaire ; vous pouvez sûrement imaginer une sortie plus raffinée pour fêter l'anniversaire de votre fiancée.

— Je crois que je connais ses goûts mieux que vous, rétorqua-t-il, fâché de constater que l'atmosphère avait de nouveau viré à l'orage.

— Je suis certaine du contraire. Pour l'amour de Dieu, c'est une femme ! Même si elle adore le foot, ce n'est pas ce dont elle rêve pour ce genre d'occasion.

— Que suggérez-vous ?

— Des bougies, des fleurs, un dîner au restaurant. Ou, encore mieux, un dîner que vous aurez préparé. Vous savez cuisiner, n'est-ce pas ?

— Cela fait quinze ans que je vis seul et je ne suis pas encore mort de faim, répondit-il, piqué au vif. Evidemment, je pourrais faire tout ça, mais Ida et moi... Enfin, nous...

Il resta soudain sans voix sous le regard insistant de Maeve. Que pouvait-il dire qu'elle accepterait d'entendre ?

Elle secoua la tête d'un air d'incompréhension. Puis elle se pencha pour empoigner les brancards de la brouette.

— Merci pour le panneau solaire. Je ferais mieux d'aller travailler, à présent.

Maeve passa le reste de la matinée à truffer la rocaille de jeunes plants d'alyssums d'un blanc neigeux et de lobélias rampants. Elle aurait préféré travailler plus loin encore du bungalow, mais il y avait des douzaines de pousses à planter.

A genoux sur un mince tapis de caoutchouc, elle enfonça une nouvelle fois son plantoir dans le sol. Will luttait contre son attirance pour elle. Exactement comme elle se défendait de son attirance pour lui. Que fallait-il en penser ? Si ses sentiments pour elle étaient sincères, cela signifiait qu'il s'était trompé en choisissant Ida. Mais Ida était enceinte et il ne la quitterait jamais. Pas plus qu'elle ne pourrait se pardonner si elle volait son fiancé à Ida.

Et pourtant, elle ne rencontrerait peut-être jamais plus un homme qui la trouble à ce point, un homme auprès de qui chaque matin semblait le premier jour du printemps, quand chaque buisson en fleur semble dissimuler des trésors de rires. Un homme qui la guérissait de ses blessures.

Une voix féminine attira son attention. Sur la terrasse, Ida agitait le bras dans sa direction.

— Nous prenons un verre. Voulez-vous vous joindre à nous ?

— Non, merci. Je dois terminer les plantations avant qu'il ne fasse trop chaud, répondit-elle en se forçant à sourire.

— Plus tard, alors ?

Maeve hocha évasivement la tête et se remit au travail. Comment pourrait-elle regarder la jeune femme en face avec les pensées qui l'assaillaient en permanence ? Car, depuis quelque temps, elle s'était mise à fantasmer à propos de Will, croyant ainsi venir à bout de ses sentiments. Hélas, ces divagations ne réussissaient qu'à accentuer le vide intérieur qu'elle ressentait ensuite.

Dans l'air cristallin, les voix de Will et d'Ida parvenaient jusqu'à ses oreilles et, bien qu'elle essayât de se concentrer sur sa tâche, elle ne pouvait éviter d'entendre leur conversation. Ils parlaient du bébé, choisissaient des prénoms, se disputaient en riant à propos de ses futures études, imaginaient les changements que l'enfant apporterait dans leurs vies, se demandaient quels parents ils seraient. Plus que les mots de Will eux-mêmes, le ton de sa voix, pleine de chaleur et d'allégresse, l'accablait. Il adorait les enfants et il était si impatient d'en avoir un.

Une larme vint s'écraser sur son poignet. Quelle que soit la force du sentiment qui pourrait les unir, cela ne suffirait pas au bonheur de Will.

# 9.

Trois jours plus tard, Maeve se rendit à Melbourne où elle avait rendez-vous avec Graham. Laissant sa voiture boulevard Saint-Kilda, à une quinzaine de minutes à pied du centre-ville, elle s'engageait dans une avenue qu'ombrageaient de magnifiques platanes quand un tramway s'arrêta pratiquement à sa hauteur. Elle aurait pu grimper à son bord, mais ne le fit pas. Marcher la détendait. Elle se réjouissait de revoir son ex-mari avec qui elle avait partagé de bons moments, et, cependant, elle appréhendait cette rencontre. Car elle savait pertinemment que, d'une façon ou d'une autre, Graham s'efforcerait de la convaincre de reprendre la vie commune.

Elle quitta bientôt l'ombre fraîche pour émerger, dans une éclatante lumière, à deux pas du mail où les vendeurs ambulants repliaient déjà leurs éventaires. Puis elle longea le centre d'art contemporain en direction du pont de Swanton qui enjambait le fleuve. Là, à deux pas du cœur de la cité, les touristes se pressaient, appareils photo en bandoulière.

Ses chaussures à talons la faisaient déjà souffrir. Comment était-il possible que tant de femmes portent quotidiennement de tels objets de torture ? Elle fit une pause et ôta une chaussure pour faire bouger ses orteils engourdis.

155

Elle venait de remettre son deuxième escarpin lorsqu'elle aperçut, sur le trottoir opposé, Ida qui se dirigeait à grandes enjambées vers le centre-ville.

— Ida ! cria-t-elle au-dessus des voitures.

Mais la jeune femme ne l'avait pas entendue. Elle était sur le point de l'appeler de nouveau quand elle la vit sourire et agiter la main en direction d'un homme qui venait à sa rencontre.

L'homme était plus petit que Will. Il avait des cheveux blond roux, une mâchoire carrée et un sourire éclatant. Ida sembla hésiter puis, comme l'homme ouvrait les bras, elle se serra contre lui. « C'est peut-être son frère, se dit Maeve sans conviction. Ou un cousin perdu de vue depuis longtemps. » Mais elle n'y croyait pas une seconde : personne n'embrassait un membre de sa famille de cette manière.

Elle se détourna, abasourdie. Ainsi, c'était le secret qu'Ida dissimulait. Un amant ! Alors qu'elle portait l'enfant de Will ! Comment osait-elle s'afficher de la sorte avec un autre ? Doutant presque de ce qu'elle venait de voir, Maeve les chercha de nouveau du regard, mais ils avaient disparu.

Jetant un coup d'œil à sa montre, elle se rendit compte qu'elle était en retard. Il lui fallait se dépêcher, à présent. Elle se remit en route, pressant le pas, l'esprit agité par de nombreuses questions. Il y avait peut-être une explication très simple au comportement d'Ida. Pourtant son intuition lui soufflait que sa première impression était la bonne.

Graham l'attendait, assis dans un confortable fauteuil de cuir, dans le hall du Grand Hyatt, apparemment très intéressé par la file de touristes japonais qui attendaient à l'accueil. Il n'avait pas changé ou si peu. Sa taille s'était sans doute un peu épaissie, ses cheveux blonds étaient un peu plus clairs sur le dessus, et plus longs sur les côtés

156

mais il était toujours aussi bronzé et son allure était plus élégante que jamais. L'image même du chic décontracté : pantalon couleur sable, chemise à col polo et mocassins portés pieds nus.

Il semblait plus prêt à larguer les amarres qu'à dîner dans un grand restaurant, et cependant, comme d'habitude, il avait l'air à sa place dans cet endroit très chic.

— Eh bien, je vois que tu as revêtu tes plus beaux atours ! dit-elle en arrivant derrière son fauteuil.

— Et moi, je constate que tu n'as pas perdu l'habitude de te moquer de moi ! Bonjour, Maeve, je suis heureux de te voir, dit-il en se levant tranquillement.

Il l'embrassa sur les joues, puis regarda sa montre.

— Désolée d'être en retard, dit-elle, soudain mal à l'aise.

Un sentiment familier de rancœur s'était emparé d'elle. Pourquoi fallait-il toujours qu'elle s'excuse en sa présence ?

— Ecoute, peut-être que ce n'était pas une bonne idée, poursuivit-elle.

Instantanément, Graham renonça à sa nonchalance. Il afficha son plus charmant sourire et lui prit la main.

— Je t'en prie, reste. C'est si bon de te voir, implora-t-il.

— Bon, d'accord. Je meurs de faim de toute façon, répliqua-t-elle, mi-amusée, mi-résignée. Et tant que nous aurons la bouche pleine, nous pourrons sûrement éviter de nous lancer des piques.

— Je parie que nous sommes capables de nous entendre plus longtemps que ça.

— Alors, quand lèves-tu l'ancre pour les îles ? s'enquit-elle tout en choisissant, parmi les entrées du buffet, une mini-tranche de saumon fumé qui vint rejoindre sur son assiette le fromage de chèvre aux herbes et les champignons à la grecque.

— Quand veux-tu partir?

— Je n'ai pas dit que je t'accompagnerais, protesta-t-elle. J'ai un gros chantier en cours.

— C'est pourquoi je te demande à quel moment tu seras disponible, répondit-il d'un ton égal.

De retour à leur table, Maeve demanda, après avoir bu quelques gorgées de chardonnay :

— Tu travailles toujours en intérim?

— Oui. J'ai un job en or en ce moment, dans Chapel Street. Tu devrais voir ce défilé de femmes splendides dans la salle d'attente. Chaussures Gucci, coupes de cheveux à trois cents dollars et cetera...

— Je suppose que tu adores ça, dit-elle d'un ton complice. Tu vas peut-être trouver une femme riche pour financer tes voyages.

— Hé! s'écria-t-il. Je ne suis pas assez fou pour épouser une de ces poupées de luxe. Tu me vois obligé de travailler douze mois par an pour payer la pension alimentaire en cas de divorce!

Il rit et, s'interrompant soudain, la regarda avec admiration.

— Est-ce que je t'ai dit que tu étais magnifique? demanda-t-il d'une voix douce.

— Graham, pourquoi voulais-tu me voir aujourd'hui? s'enquit-elle en reposant sa fourchette.

Il passa plusieurs fois sa main sur sa joue comme pour gagner du temps, puis il prit une expression sérieuse.

— Je veux que nous recommencions à zéro tous les deux, dit-il finalement.

Etrangement, elle se surprit à songer, non pas à sa proposition, mais à la froideur de ses yeux, comparés à ceux de Will, qui étaient bleus eux aussi, mais pleins de vie et de chaleur.

— Alors? demanda-t-il.

— Nous avons réussi à nous séparer sans trop de dégâts. Restons bons amis, c'est mieux ainsi.

— Je suis sérieux, Maeve. Je veux vraiment me fixer désormais. Avec toi.

— Te fixer? Il y a moins d'une minute, tu parlais de t'embarquer pour les îles Fidji, protesta-t-elle en repoussant son assiette vide.

— Seulement pour une courte croisière. Une sorte de second voyage de noces. Ensuite, nous rentrons et nous nous occupons de notre installation, expliqua-t-il avec l'air excité d'un gamin qui bâtit des châteaux en Espagne. Qu'est-ce que tu en dis? On essaie?

— Graham! Nous ne nous sommes pas vus depuis des années, tu débarques tout à coup dans ma vie, la bouche en cœur, et tu me demandes de t'épouser de nouveau. Il s'agit bien d'un remariage, n'est-ce pas? demanda-t-elle soudain en levant les yeux vers lui.

— Absolument.

Il baissa les yeux, puis la regarda de nouveau. Brusquement, il paraissait plus vieux, presque vulnérable.

— Tu me manques, murmura-t-il.

Maeve connaissait chacune des expressions de son visage, mais jamais, par le passé, elle ne lui avait vu une mine si défaite. Il était sincère. Et cette soudaine évidence l'émut jusqu'au plus profond d'elle-même.

— Oh, Graham, fit-elle dans un souffle.

— Nous pourrions avoir un autre enfant, dit-il doucement. Tu étais une mère tellement merveilleuse...

— Arrête!

— Pardonne-moi, dit-il en posant une main sur la sienne.

— Tu dis que tu désires t'installer, reprit-elle après une profonde inspiration, mais où? On ne court pas les océans avec des enfants, et tu détesterais mon cottage à Mount Eliza.

— J'ai acheté quelque chose à Brighton. J'appartiens désormais au club des heureux propriétaires endettés.

— Tu as acheté une maison ?

— Un appartement, en fait. Mais sur le front de mer. Tu l'aimeras.

— Le balcon est suffisamment spacieux pour accueillir ma serre, je suppose. Crois-tu que les voisins verront un inconvénient à ce que je laisse le broyeur devant nos fenêtres ?

— Voilà que tu recommences à plaisanter, gémit-il. Ecoute, Maeve, t'en prendre à moi ne fera pas revenir Kristy. J'ai eu plusieurs aventures depuis notre séparation, mais aucune femme ne peut rivaliser avec toi. Nous avons vécu de bons moments, non ?

L'espace d'un instant, elle fut tentée de dire oui, comme ça, sans réfléchir. Tous les deux avaient mûri. Il avait été un père un peu fantasque, certes, mais bon et affectueux. Et elle ne pourrait jamais vivre avec l'homme dont elle était amoureuse. Cependant...

— Tu sais bien que la mort de Kristy n'a pas été la véritable cause de notre rupture. Du reste, j'ai ma vie à présent.

— Tu as un ami ?

— Non, répondit-elle lentement. Néanmoins, j'ai ma maison, mon travail. Mes racines sont ici. Je sais, tu as acheté un endroit où vivre, mais c'est un appartement, un lieu que tu n'auras aucune difficulté à louer le jour où il te prendra l'envie de repartir naviguer.

— Si tu veux une maison, je t'en achèterai une. J'ai changé, Maeve, vraiment changé.

— Je ne sais pas...

D'une certaine façon, il serait facile de recommencer avec lui. Surtout s'il était réellement décidé à tout faire pour que ce mariage soit une réussite, au lieu de larguer les amarres à la moindre dispute.

— Ne me réponds pas aujourd'hui, dit-il avec un sourire plein d'espoir. Promets-moi seulement que tu prendras le temps d'y penser.

— D'accord.

Maeve enfouit le dernier pied de gardénia dans la plate-bande qui bordait la piscine et en recouvrit les racines. Des petits boutons vert clair apparaissaient déjà entre les feuilles luisantes et, avec un peu de chance, ils seraient encore en fleur au moment du mariage de Will. Elle tassa la terre à la base de la plante un peu plus qu'il n'était nécessaire, distraite par la pensée d'Ida. En dépit de sa propre attirance pour Will, Ida lui avait plu, et découvrir qu'elle avait un amant l'avait perturbée. Mais, quel choc terrible ce serait pour Will s'il l'apprenait !

Ayant ouvert un sac d'engrais, elle parsema la plate-bande de granulés. Devait-elle l'avertir ? Elle tenta de se mettre à sa place. Comment réagirait-elle si elle était fiancée et que quelqu'un vienne l'avertir qu'il avait vu son futur mari embrasser passionnément une autre femme, sur le pont de Swanton. Souhaiterait-elle être au courant ou, au contraire, préférerait-elle ne rien savoir ? En outre, dans le cas présent, devait-elle tenir sa langue par solidarité féminine ? D'ailleurs, Will ne la remercierait peut-être pas, peut-être même la haïrait-il, non seulement de l'avoir éclairé, mais aussi d'être le témoin de son humiliation. Pourtant, ne devait-elle pas prendre ce risque si cela devait lui épargner une longue série de désillusions ? De toute façon, son contrat terminé, elle ne serait plus appelée à les revoir, ni l'un ni l'autre.

— Le jardin de clair de lune est déjà très joli en plein jour, dit soudain une voix grave et douce dans son dos.

Elle se redressa brusquement.

— Je ne vous ai pas entendu arriver.

— Vous sembliez très absorbée. A quoi pensez-vous quand vous jardinez? demanda-t-il, les mains dans les poches.

— A tout et à rien, répondit-elle, évasive, tout en notant son air heureux. Vous avez eu une bonne journée?

— Comme ci, comme ça. Qu'allez-vous mettre là? s'enquit-il en indiquant un endroit fraîchement désherbé dans la rocaille.

— Une des plus étonnantes et des plus belles plantes qui soient, dit-elle, enthousiaste, oubliant momentanément ses sombres réflexions. *Selenicereus grandiflorus*, la Reine de la Nuit, qui doit son nom latin à la déesse de la lune. Elle fleurit une fois par an, une nuit de pleine lune, défroissant de larges corolles d'un blanc immaculé cerclé de jaune d'or et exhalant un capiteux parfum de vanille.

— Quel trait de ma personnalité est censé représenter une plante aussi rare? dit-il sur un ton légèrement moqueur.

Brusquement, Maeve se rendit compte que son choix dévoilait peut-être davantage sa propre intimité que celle de Will et préféra éluder la question.

— Mon amie Rose connaît quelqu'un qui les cultive. Qui sait, celle que je vais planter fleurira peut-être pour votre mariage. La lune sera pleine à la fin du mois.

Elle se tut soudain, troublée par sa propre allusion au mariage. Will, lui aussi, était étrangement silencieux.

— Je ferais mieux d'y aller, dit-il enfin. Je vais tondre la pelouse de ma mère.

— Eh bien, j'ai fini pour aujourd'hui. Je m'en vais également, conclut-elle en entassant ses outils dans la brouette, tout à coup peu désireuse de le quitter.

— Laissez-moi vous aider, proposa-t-il en se saisissant en même temps qu'elle du sac d'engrais.

Leurs mains se rencontrèrent. S'écartèrent. Se touchèrent de nouveau.

— Merci, murmura-t-elle en retirant ses doigts.

Le front brûlant, elle se pencha pour ramasser un sarcloir.

Sans un mot, Will empoigna la brouette et la fit rouler à travers la pelouse jusqu'à la camionnette. Elle le suivit de loin, recouvrant peu à peu ses esprits.

Au moment où elle le rejoignit, il était en train de charger la brouette. Elle était sur le point de lui dire qu'elle allait se débrouiller seule quand elle remarqua la vieille tondeuse rouillée dans le coffre de la Mercedes.

— Est-ce que ce morceau de ferraille fonctionne vraiment?

— Maintenant, vous savez pourquoi j'ai dû engager un jardinier. J'ai bien essayé de convaincre ma mère d'en faire autant, mais sans succès. Je crois qu'elle aime me voir faire ce travail pour elle.

— Où habite-t-elle? demanda Maeve en ôtant ses gants.

— A Mornington.

— J'aimerais beaucoup la rencontrer. Toujours pour mon enquête, expliqua-t-elle, amusée de l'air déconcerté de Will. Je ne peux pas laisser passer l'opportunité d'en apprendre plus sur votre enfance. Je vais aller tondre cette pelouse à votre place, ajouta-t-elle, résolue.

— Je n'y suis pas allé depuis un moment, dit-il, visiblement hésitant. Ce doit être la forêt vierge là-bas.

— Raison de plus pour utiliser des outils de professionnel, conclut-elle en s'installant au volant de la camionnette. Allons, montez, Beaumont, qu'est-ce que vous attendez?

\*\*

— Quelle énergie !

Une cigarette entre les doigts, Grace observait Maeve depuis le porche. Will, qui s'apprêtait à démarrer la débroussailleuse électrique que Maeve lui avait confiée, suivit son regard. A l'autre bout du jardin, Maeve poussait la tondeuse dans l'herbe haute avec la même facilité que si elle avait été en train de passer un coup d'aspirateur sur le tapis du salon.

— C'est une vraie amazone, dit-il.

— Ida l'a déjà rencontrée ? demanda Grace d'un ton légèrement soupçonneux.

— Elle la connaît, oui. Elles s'entendent très bien toutes les deux. Où veux-tu en venir exactement ? ajouta-t-il, agacé.

— Rien, c'est simplement que... à la place d'Ida, je n'aimerais pas que mon fiancé regarde son jardinier comme tu es en train de le faire.

— Tu dis n'importe quoi, se défendit-il en rabattant les lunettes de protection sur ses yeux.

— Tu peux peut-être te mentir à toi-même, Will, mais tu ne réussiras pas à duper ta mère.

Troublé malgré lui, il s'empressa de mettre en route le moteur de la débroussailleuse et s'éloigna.

— Will !

Il se retourna, surpris par l'intonation tranchante de sa voix. Elle le regardait d'un air affreusement sérieux.

— Souviens-toi de ta promesse.

Il hocha la tête. Comment aurait-il pu oublier ?

Tout en coupant l'herbe le long des bordures de la pelouse, Will ne cessait de se demander comment il avait pu commettre l'erreur de laisser Maeve l'accompagner. Il s'en fit le reproche plus vivement encore lorsque, ayant terminé son travail, il entra dans la maison et découvrit, assises l'une près de l'autre sur le sofa de la salle de

164

séjour, Grace et Maeve penchées sur un album de photos. Elles étaient si absorbées, qu'elles n'avaient pas remarqué sa présence.

— Voici Will et son père revenant de la plage ; Will senior attendait patiemment sur le sable tandis que junior surfait, expliquait Grace. Will ne voulait jamais sortir de l'eau. Enfin, quand il n'était pas perché au sommet d'un arbre ! Et voilà toute la petite bande : Will avec son frère et ses deux sœurs.

— Comment vous êtes-vous débrouillée toute seule avec quatre enfants ? s'enquit Maeve.

— Cela n'a pas été facile. Et la plupart du temps, j'avais le sentiment d'en avoir cinq. Ida et Will étaient inséparables.

— Et à présent, ils sont sur le point de se marier.

Will avait-il imaginé cette tension dans la voix de Maeve ? Ce froncement de sourcils de la part de Grace ? Quand cette dernière ouvrit la bouche pour parler, il eut une brusque montée d'adrénaline. Allait-elle révéler la vérité ?

— Maman ! appela-t-il, coupant court à d'éventuelles confidences.

Sa mère se retourna, surprise, en s'exclamant :

— Oh, tu étais là, mon chéri, je ne t'avais pas entendu entrer.

Maeve jeta un coup d'œil par-dessus son épaule et il eut l'étrange impression qu'elle avait perçu sa présence bien avant qu'il ne se manifeste. Un voile de tristesse passa fugitivement sur son visage. Puis elle retrouva l'expression taquine qu'il connaissait bien.

— Vous étiez un drôle de garnement, dites donc !

— J'étais adorable.

— Tu étais un vrai voyou, oui, corrigea Grace.

Sur ce, elle annonça qu'elle allait refaire du thé et disparut dans la cuisine.

165

— Alors, vous ne regrettez pas d'être venue ? demanda Will en se perchant sur l'accoudoir du sofa le plus éloigné de Maeve.

— Pas du tout. Je trouve votre mère très gentille, dit-elle d'un voix chaleureuse. Nous avons eu une conversation d'un grand intérêt.

— Vraiment ? fit-il en s'asseyant plus confortablement, mais toujours à l'autre extrémité du canapé.

— Vous m'aviez parlé de la différence d'âge qui existait entre vos parents, mais jusqu'à ce que je voie les photos, je n'avais pas réalisé combien il était...

— Vieux ? suggéra-t-il pour lui venir en aide. Par bien des côtés, il ressemblait davantage à un grand-père qu'à un père pour nous. Quoiqu'un grand-père aurait sans doute passé plus de temps à jouer avec ses petits-enfants, dit-il en feuilletant l'album. Mais nous étions quatre, et nous nous sommes beaucoup amusés ensemble.

— Je suppose que, venant d'une famille nombreuse, vous-même souhaitez avoir plusieurs enfants, dit-elle d'une voix neutre.

— En effet. Et vous ? dit-il après une pause. Vous désirez des enfants ?

— Moi ? Non.

Elle avait répondu d'un ton léger, mais Will avait saisi un éclair de douleur dans son regard.

— Vous pourriez le regretter plus tard, dit Grace qui entrait dans la pièce à ce momen-là, apportant la théière fumante.

Elle posa le plateau sur la table basse, versa une tasse pour Will, et continua, sans remarquer le silence de Maeve :

— J'ai toujours adoré les tout-petits. Avant qu'ils n'apprennent à dire « non ».

Will, de plus en plus conscient du malaise de Maeve,

bien qu'il n'en soupçonnât pas la cause, tenta de faire un signe discret à sa mère afin qu'elle change de sujet de conversation, mais elle ne lui prêta pas attention.

— Et quand ils font leurs premiers pas, vacillant sur leurs petites jambes..., poursuivit-elle avant de relever la tête pour tendre sa tasse à Maeve. Mais que se passe-t-il, ma chère? Vous êtes blanche comme un linge!

— Je crois que nous avons retenu Maeve assez longtemps, dit Will en se levant.

— Je vais bien, dit Maeve, esquissant un sourire crispé.

Mais rien ne semblait vouloir arrêter Grace qui, probablement, tentait de masquer sa gêne sous un flot de paroles.

— Ida, justement, fait partie de ces femmes que la grossesse épanouit. Vous disiez que vous l'aviez déjà rencontrée?

— Oui, acquiesça Maeve. Elle est charmante.

— Comment va-t-elle, à propos? s'enquit Grace auprès de Will. L'échographie s'est-elle bien passée?

— Oui, parfaitement. Et Ida va bien elle aussi, quoiqu'elle m'ait paru un peu nerveuse ces derniers jours...

Il s'interrompit en voyant Maeve s'étrangler.

— Ça va? demanda-t-il en se levant aussitôt pour la soulager d'une tape dans le dos qui s'acheva en une sorte de caresse.

— La maternité est un bouleversement pour une femme active comme Ida, dit Maeve lorsqu'elle eut retrouvé son souffle.

— En tout cas, Will est encore jeune, dit Grace. C'est terrible pour un petit garçon de perdre son père, ajouta-t-elle en secouant tristement la tête.

Embarrassé par le regard plein de compassion de

Maeve qu'il sentait posé sur lui, Will termina promptement sa tasse.

— Il faut que j'y aille, dit-il.

— Je ferais mieux de partir aussi, ajouta Maeve en regardant sa montre. Je vous remercie beaucoup pour le thé, madame Beaumont.

— Appelez-moi Grace, je vous en prie. Et c'est à moi de vous remercier pour avoir si gentiment tondu ma pelouse. Venez boire une tasse de thé quand vous voudrez.

— Au revoir, maman. Je t'appelle bientôt, lança Will depuis le porche où il attendait Maeve.

— Vous avez eu l'air bouleversé quand ma mère s'est mise à parler des enfants, dit-il à la jeune femme en la raccompagnant à sa voiture.

Son visage se ferma soudain.

— C'est... personnel.

— Je vois, murmura-t-il bien qu'il ne vît rien du tout excepté qu'elle souffrait.

Il aurait tant voulu la soutenir, la protéger, mais il ne pouvait rien faire d'autre que la regarder se glisser sur le siège de la camionnette. Elle claqua sa portière, boucla sa ceinture et dit par la vitre ouverte :

— Je dois travailler sur un autre chantier ces prochains jours, mais l'artisan viendra installer les grilles pendant mon absence. Je vous verrai plus tard dans la semaine. Ou samedi, pour vos fiançailles.

— D'ici là, j'aurai terminé le panneau solaire, dit-il les mains posées sur le rebord de la vitre.

Une étincelle s'alluma dans ses yeux. Spontanément, elle posa sa main sur les siennes et serra brièvement ses doigts.

— Merci, chuchota-t-elle.

Et, avant qu'il n'ait pu prononcer un mot, elle démarra. Immobile, songeur, il la regarda s'éloigner et, dans un geste inconscient, porta à ses lèvres la main qu'elle venait de toucher.

# 10.

la maison.

Maeve arriva tard à la soirée de fiançailles de Will et
d'Ida. A choisir, elle eût préféré ne pas s'y rendre du tout.
Il lui était devenu de plus en plus difficile de côtoyer Will
sans rien laisser paraître de ses sentiments. Mais elle voulait avoir une discussion avec Ida.

L'allée du garage était encombrée de véhicules et les
derniers invités avaient dû empiéter sur la pelouse.
Comme eux, Maeve se gara dans l'herbe puis, son cadeau
sous le bras, se dirigea vers la maison, notant au passage
avec satisfaction que les fleurs qu'elle avait plantées dans
les vasques de chaque côté de l'escalier s'épanouissaient
dans une débauche de couleurs.

Au bas des marches, elle fit une courte pause pour
vérifier qu'il n'y avait pas d'herbe sur sa robe abricot et
lisser ses cheveux qu'elle avait noués sur la nuque en un
chignon lâche. Tout à coup, son pouls s'accéléra et ses
paumes devinrent moites. La perspective de rencontrer
Will dans ces circonstances particulières, au milieu de ses
amis, la plongeait dans un état de nervosité inaccoutumé.
Aujourd'hui, elle ne pourrait pas se réfugier derrière ses
plantes, au sens propre comme au figuré.

La porte d'entrée était grande ouverte, mais, au dernier
moment, elle préféra faire le tour, sur le côté de la mai-

son, et emprunter le tourniquet, récemment installé. L'idée, qui, jusque-là, lui avait semblé convenir à merveille au projet de mariage, lui parut soudain beaucoup moins bonne. Elle allait maintenant devoir expliquer à Will son fonctionnement et appréhendait leur embarras à tous deux.

Elle parcourut l'assemblée du regard à la recherche de Will. Ne le voyant nulle part, pas plus qu'Ida, elle se fraya un chemin parmi les invités, regroupés dans le patio, avec l'intention de déposer le paquet à l'intérieur de la maison.

— Maeve, c'est bien vous ? l'interpella un homme corpulent moulé dans un T-shirt noir. Ginger, regarde qui est là !

— Ah, bonjour, Alex. Ginger, dit-elle, soulagée de trouver des visages connus, comment votre jardin supporte-t-il la canicule ?

— Très bien. Et grâce à votre système d'arrosage automatique, répondit Ginger en repoussant une mèche de ses cheveux platine. J'adore ce que vous avez fait chez Will.

— Merci beaucoup, mais ce n'est pas encore fini. Savez-vous où sont Will et Ida ? J'aimerais leur donner ça...

— A la cuisine, je crois, répondit Alex. Ils s'occupent des entrées. Je vous conseille la salade au crabe, c'est Ginger qui l'a préparée.

— Je m'en souviendrai. A plus tard.

Elle reprit son chemin et se trouva soudain nez à nez avec Will. La musique et les rires semblèrent s'éteindre autour d'elle.

— Je suis heureux que vous ayez pu venir, dit-il en l'accueillant. Puis-je vous débarrasser ?

— C'est pour vous et Ida, répondit-elle en lui tendant le cadeau, troublée par son regard bleu et son sourire chaleureux.

172

— Merci beaucoup. Oh, c'est lourd !

— C'est un vase, laissa-t-elle échapper. Excusez-moi, je n'aurais pas dû vous le dire.

— Auriez-vous quelque chose contre les bocaux ? la taquina-t-il en lui prenant la main pour la guider à travers la foule. Venez, je vais poser ceci sur la table de la salle à manger et ensuite je vous présenterai.

— Où est Ida ? demanda-t-elle, essayant d'oublier le contact tiède de sa main.

C'était fête, ce soir et, naturellement, tout le monde se comportait avec plus de décontraction qu'à l'ordinaire. Elle devait réussir à se détendre.

— Quelque part par là, je suppose, répondit-il en attrapant deux coupes de champagne sur un plateau qui passait à proximité. Merci, Elysse, ajouta-t-il à l'intention de la jolie jeune fille qui faisait le service.

— C'est une bonne idée d'avoir fait appel à un traiteur, remarqua-t-elle, davantage pour faire la conversation que pour donner son opinion.

— En fait, Ida et ma mère ont presque tout préparé. Elysse est ma nièce. Elle et ses camarades d'école sont venues nous aider, moyennant salaire. Qui, à cet âge, n'a pas besoin d'un peu d'argent de poche ?

— Elles sont charmantes, fit Maeve après avoir bu une gorgée de champagne.

— Retournons dans le jardin. Il faut que je surveille le barbecue.

Ils retraversèrent le patio, arrêtés tous les deux pas par un invité qui voulait dire un mot à Will.

— ... Félicitations, mon vieux.

— ... Ça y est, tu es décidé à te passer la corde au cou ?

— ... Nous sommes impatients de célébrer ton mariage.

173

— Merci. Merci beaucoup.

Will serrait des mains, acquiesçait en souriant, embrassait l'un, bavardait un instant avec un autre. Maeve suivait, silencieuse. Tous ces gens étaient réunis pour célébrer les fiançailles de Will et d'Ida. Elle chercha dans la foule l'homme roux qu'Ida avait embrassé sur le pont de Swanton. Peut-être était-il une de leurs connaissances communes ? Peut-être même un ami de Will ? Son estomac se noua à cette pensée.

Elle ne le vit pas, mais aperçut Ida assise sur une chaise pliante au bord de la piscine, très entourée. Elle avait les joues roses et riait à gorge déployée avec un air de bonheur parfait. Dans un éclair de jalousie, Maeve sentit naître en elle une animosité dont elle ne se serait jamais cru capable. Comment Ida osait-elle traiter Will avec une telle légèreté ? Ne savait-elle pas que bien des femmes auraient rêvé d'avoir ce qu'elle tenait pour naturel ?

— Bonjour, Maeve.

Maeve se retourna, surprise d'entendre son nom. Grace se tenait là, souriante, son incontournable cigarette à la main et un verre de champagne dans l'autre. Sa robe de mousseline bleu turquoise lui seyait à ravir.

— Grace ! Je suis ravie de vous revoir.

— Voici ma fille, Julie, la petite sœur de Will, dit Grace en se tournant vers une jeune femme brune qui portait un bébé dans les bras. Son mari, Mike, et leur enfant. Mon autre fille est là aussi, mais mon fils n'a pas pu se libérer...

— Je ne suis pas sûr que Maeve soit si intéressée par ma famille, la coupa Will en arrivant derrière sa mère.

Et sous un concert de protestations, il entraîna Maeve.

— Que craignez-vous donc que je découvre sur vous ? railla-t-elle.

Will n'eut pas le loisir de riposter. Un homme aux cheveux bruns coupés court s'était approché. Il salua Will, accompagnant son bonjour d'une tape amicale, mais ses yeux gris étaient posés sur Maeve.

— Qui est cette ravissante personne ? M'aurais-tu caché quelque chose, Will ?

— C'est Maeve..., commença Will.

— Ah, l'amazone qui aménage ton jardin !

— Maeve, je vous présente Paul, mon comptable.

— L'abominable homme d'affaires qui prône la délocalisation, répliqua-t-elle, ironique.

Le sentiment n'était probablement pas très honorable, néanmoins il ne lui déplaisait pas que Will se rendît compte que d'autres hommes étaient sensibles à son charme.

— Maeve est la fille d'Art Hodgins, notre contremaître, expliqua Will.

— Ma modeste fonction se limite à tenir les livres, dit Paul, un sourire désarmant aux lèvres et la main sur le cœur.

— N'en croyez pas un mot, Maeve, démentit Will.

— A propos, Will, notre agent à Jakarta a trouvé les locaux adéquats et j'ai entamé les négociations avec le gouvernement indonésien, aussi préviens-moi dès que tu voudras te rendre là-bas. L'affaire peut se conclure rapidement.

— D'accord, répondit Will sans enthousiasme.

Will ayant été appelé au téléphone, Maeve se retrouva bientôt seule en compagnie de Paul qui, souriant, passa un bras sous le sien.

— Faites-moi faire le tour de la propriété, la pria-t-il. J'ai moi-même désespérément besoin d'un jardinier.

Elle n'en crut pas un mot, mais il faisait preuve d'un aplomb si charmant qu'elle ne put lui en tenir rigueur.

C'est donc volontiers qu'elle lui montra le jardin, parcourant pour la première fois les allées sans outil à la main, goûtant un véritable plaisir de promeneur. Parvenus au bord de la falaise, ils firent une halte pour admirer la vue.

— Qu'entendiez-vous par amazone, tout à l'heure? demanda-t-elle.

— C'est ainsi que Will vous surnomme, dit-il en l'observant. Vous lui plaisez beaucoup.

— Certainement pas, se hâta-t-elle de le contredire. Sauf, peut-être, en tant que paysagiste. Lui et Ida...

— Au cas où vous ne l'auriez pas remarqué, l'interrompit-il, il ne s'agit pas exactement d'une grande passion.

Elle retint son souffle. Combien de fois s'était-elle fait la même réflexion?

— Mais ils s'aiment, non?

— On peut le supposer, puisqu'ils ont l'intention de se marier, dit-il avec un haussement d'épaules. Peut-être êtes-vous légèrement amoureuse de lui également.

— Pas du tout. Je passe l'essentiel de mon temps à lui reprocher d'avoir mis mon père au chômage. C'est quelqu'un de bien, mais...

— C'est le meilleur, coupa Paul d'un ton qui n'admettait pas de réplique.

Reprenant sa marche, Maeve préféra changer de sujet.

— Vous avez vu le cabanon que j'ai fait pour lui? Ou plutôt pour le bébé.

Cependant, le cœur lui battait. Ses sentiments étaient-ils donc si évidents que même un parfait inconnu avait pu les remarquer? Des sentiments dont elle ne connaissait pas elle-même la véritable nature... Peut-être n'éprouvait-elle rien de plus qu'un engouement passager. Mais où se situait la frontière entre un coup de cœur et un amour véritable?

176

Elle s'arrêta devant la maisonnette de brique. Les branches des jasmin avaient déjà grandi de plusieurs centimètres et les jeunes pousses proliféraient. Elle releva quelques gourmands et les entortilla autour des lattes du treillis.

— Pour parler franchement, reprit Paul qui la regardait faire, je suis un peu inquiet au sujet de Will.

— Que voulez-vous dire ?

— Il se fait un sang d'encre pour l'usine. Il fait le maximum pour tous, mais certains, en particulier deux gars qu'il aurait dû renvoyer depuis longtemps, lui mettent des bâtons dans les roues. Et puis, il y a Ida. Ils se connaissent depuis des lustres et jamais il n'avait été question de mariage entre eux. Je ne sais pas, tout ça me semble un peu bizarre. Je croyais être un de ses meilleurs amis, mais il ne me dit plus rien.

— Il est très heureux d'avoir bientôt un bébé. Ça saute aux yeux.

— C'est vrai, reconnut Paul. Il ne fait aucun doute qu'il désire une famille. Je me fais probablement des idées fausses à propos de leur relation. Après tout je n'ai jamais vu Will s'abandonner à des effusions passionnées dans ce genre de circonstances.

Grace avait fait presque la même remarque. Comme ils retournaient lentement vers la maison, Maeve réfléchissait à la manière diplomatique dont elle pourrait poser la question qui lui brûlait les lèvres. Pour finir, celle-ci jaillit, brutale, presque malgré elle :

— Ida est-elle une personne fidèle ?

— Comme un cocker ! Désolé, ajouta-t-il précipitamment en feignant de se donner une claque, je ne voulais pas être méchant. C'est juste que son visage ne lui en laisse guère le choix.

— Elle est intelligente, elle a de la personnalité et

c'est une jeune femme charmante. Pourquoi les hommes ne la trouveraient-ils pas attirante?

— Ne vous méprenez pas. J'apprécie beaucoup Ida, mais elle n'a pas eu beaucoup de chance avec les hommes.

Si Maeve croyait ce dont elle avait été témoin, Ida avait eu de la chance avec au moins deux d'entre eux.

— Jusqu'à maintenant, ajouta-t-elle presque sans le vouloir.

— Jusqu'à maintenant.

Comme ils approchaient de la piscine près de laquelle les invités se regroupaient, Paul se tourna vers elle.

— Accepteriez-vous de venir dîner avec moi un soir?

— Merci, Paul, mais je ne crois pas.

— Votre cœur serait-il déjà pris? demanda-t-il avec un sourire entendu.

— Non. J'ai simplement beaucoup de travail, marmonna-t-elle.

— Ah, vous jardinez la nuit?

— S'il vous plaît... je ne peux pas.

— Dites que vous ne voulez pas, rectifia-t-il en lui prenant la main tendrement.

Elle ne songea pas à retirer sa main, son contact ne la gênait pas, il ne la troublait pas non plus.

— Peu importe, cela revient au même, dit-elle. Je suis très flattée, Paul, mais vous et moi, cela ne marcherait pas.

Avec un soupir exagéré, il abandonna sa main.

— Laissez-moi au moins votre carte, que je puisse faire appel à vous pour mon jardin.

— D'accord, dit-elle en tirant un bristol du petit sac perlé qu'elle portait en bandoulière.

Il l'empocha en souriant.

— Je meurs de soif! Allons boire un verre, proposa-

178

t-il. Avez-vous déjà remarqué, ajouta-t-il après quelques pas en se penchant vers elle, que le volume sonore d'une soirée augmente en proportion de la quantité d'alcool ingéré ?

Depuis le patio, Will observait Maeve et Paul avec une inquiétude grandissante. Il avait assez souvent vu son ami à l'œuvre pour savoir qu'il était en train de faire la cour à la jeune femme. Alarmé, il le vit prendre la main de Maeve, et grinça des dents quand il constata qu'elle ne la retirait pas immédiatement. Bien que Paul ne fût pas ce qu'on aurait pu appeler un coureur de jupons, il avait néanmoins un succès incontestable auprès des femmes.

L'idée d'être, bien involontairement, à l'origine d'une rencontre entre ces deux-là l'horripilait. Et savoir que Maeve était capable de se défendre seule ne parvenait pas à le rassurer. En ses qualités d'hôte et d'employeur, il se devait de s'interposer et de conduire Maeve à l'abri des assauts de Paul.

Lorsqu'il le vit venir vers lui, Paul, l'œil brillant, remua silencieusement les lèvres à son intention : « J'ai son numéro. »

— Il y a un ex-mari dans le paysage, l'avertit-il à voix basse, sachant toutefois que Paul ne verrait pas là un argument de poids.

Puis il se tourna vers Maeve qui était restée à quelques mètres d'eux.

— J'aurais dû vous prévenir : mon ami est un véritable don Juan. Sous aucun prétexte, vous ne devez lui donner votre numéro de téléphone.

— Il veut seulement quelques conseils pour son jardin, dit-elle d'un ton innocent.

— Mais il habite dans un appartement ! s'exclama

Will en se tournant vers le coupable qui, déjà, prenait le large en leur adressant un large sourire.

— Will, vous avez l'air d'un père outragé, dit-elle en éclatant de rire.

Un père ! Il ne manquait plus que ça. Il valait mieux ne pas s'appesantir.

— Vous ai-je dit que j'avais terminé le panneau solaire ?

— Merveilleux ! Est-ce que je peux le voir ? demanda-t-elle aussitôt.

La récompense de ses heures de travail passées dans la solitude de l'atelier après ses longues journées de bureau était là, dans les yeux brillants de Maeve, dans la joie sans retenue de son sourire.

— Venez, il est dans le bungalow.

Ils se trouvaient encore sur le seuil quand Alex et Ginger interpellèrent Will depuis le tourniquet.

— Qu'est-ce que c'est ? demanda Ginger en agitant son verre de vin, qui se renversa dans l'herbe à ses pieds.

— C'est un tourniquet de Cupidon. J'ai pensé que ce serait une bonne idée car la cérémonie de mariage doit avoir lieu dans le jardin, expliqua Maeve.

— Un tourniquet de Cupidon ? répéta Ginger. Je ne vous suis pas.

— Nous voulons une démonstration, dit Alex d'un ton impérieux qui trahissait un léger abus de boisson.

— Venez, Maeve, montrez-nous comment ça marche, renchérit Ginger.

Maeve obtempéra à contrecœur.

— Vous entrez, puis rabattez le vantail du côté opposé au demi-cercle. La légende raconte qu'autrefois, en Angleterre, poursuivit-elle en sentant le rose lui monter aux joues, un homme qui faisait la cour à sa bien-aimée devait l'emprisonner à l'intérieur du cercle afin de lui voler un baiser.

— Montrez-nous. Vous serez la bien-aimée et moi le courtisan, dit Alex en pénétrant dans le cercle et invitant Maeve d'un grand geste du bras.

— Oh! non, je te le défends bien, protesta Ginger dans un rire. Tu es un homme marié, Alex White. Will, approchez.

Will sentit son sang se glacer dans ses veines, tandis que son cœur s'emballait. Il hésita. Déjà d'autres invités, attirés par l'agitation, s'avançaient, joignant leurs prières à celle de Ginger. Maeve attendait, visiblement troublée.

— Allez, Will, tu n'as jamais reculé devant rien, l'encouragea Alex en poussant son ami. A votre tour, Maeve.

— Je crois que nous devrions appeler Ida, suggéra-t-elle.

— Elle est en train de faire admirer sa bague, dit Ginger. Ne vous en faites pas, elle ne dira rien. Juste un petit baiser.

Et l'assemblée de scander en chœur :

— Un baiser, un baiser...

Will eut soudain de la peine à respirer. Même si embrasser Maeve dans ces circonstances ne signifiait absolument rien. Les lèvres de Maeve auraient le goût d'une nuit d'été, sa peau le toucher satiné d'un pétale de gardénia, mais, pour autant, ses sens n'allaient pas s'enfiévrer, ni son cœur s'embraser. Un baiser n'en entraînerait pas un autre.

— Un baiser, un baiser...

Maeve semblait mal à l'aise.

— Du calme, tas de voyeurs, lança-t-il. Les steaks seront cuits dans quelques minutes. Pourquoi ne pas retourner près du barbecue?

Quelques-uns tentèrent de protester, mais, voyant que Will s'en tiendrait là, les invités finirent par se disperser en échangeant des plaisanteries.

— Désolé, dit-il à Maeve en se tournant vers elle.

Il libéra le battant avec l'intention de la laisser sortir, au lieu de quoi, le tourniquet ayant pivoté sur lui-même, il se retrouva prisonnier du cercle avec elle.

Will aurait bien été incapable de dire ce qui s'était produit ensuite exactement. Elle avait murmuré « merci », ses yeux s'étaient assombris. Etait-ce lui qui s'était penché ou elle qui avait offert sa bouche ? Il y avait eu un silence, et leurs lèvres s'étaient effleurées. Il s'était retrouvé soudain dans un jardin paradisiaque, luxuriant, chaud, parfumé. Submergé de désir, luttant de toutes ses forces pour ne pas l'attirer contre lui, il avait enfin réussi à ouvrir les yeux, rencontrant le regard lumineux de Maeve. L'air vibrait sans qu'aucun mot ne soit prononcé.

Etourdie, Maeve respira profondément. Le soleil semblait plus éblouissant, le bleu du ciel plus ardent, les fleurs plus épanouies. Et Will, plus fort que la vie elle-même. Pourtant, le désir et le désespoir que trahissaient ses yeux, quelque chose dans la courbe de sa bouche ou l'inclinaison de sa tête la bouleversèrent au point qu'elle dut retenir ses larmes. Elle l'aimait.

Sans un mot, Will souleva le loquet et poussa le vantail. Elle passa devant lui, tourmentée par le désir de le toucher, mais n'osant pas.

Un remous dans le groupe de personnes qui se trouvait près de la maison attira son attention. Elle tourna la tête, et rencontra des yeux noisette qui la dévisageaient d'un air sombre.

Ida avait été témoin de leur baiser.

Dans un moment de panique, Maeve pensa qu'Ida allait éclater en sanglots ou se précipiter sur elle pour l'invectiver, mais la jeune femme détourna le regard.

182

Sans doute avait-elle lancé une plaisanterie car l'invité qui se tenait à côté d'elle se mit à rire.

Il fallait s'éloigner de Will. Se perdre dans la foule. Leur baiser avait signifié quelque chose pour lui ; elle l'avait lu dans ses yeux. Et même s'il ne devait jamais le lui avouer, le fait de savoir qu'il partageait ses sentiments la remplissait d'une joie profonde.

Toutefois, à mesure qu'elle approchait du patio, son allégresse retomba. A peine quatre semaines plus tard, dans ce même jardin, Will épouserait Ida.

Attrapant au vol un verre de whisky sur un plateau qui passait à sa portée, elle erra un moment puis entra par la porte-fenêtre dans la cuisine vide. « Tchin-tchin » murmura-t-elle, levant son verre en direction du vase rempli des fleurs de son propre jardin.

— A quoi buvons-nous ?

Maeve fit volte-face. Ida se tenait dans l'embrasure de la porte, les yeux brillants et les joues enflammées.

— A quoi buvons-nous ? répéta Ida. A l'amour ?

— D'accord, acquiesça-t-elle prudemment, levant son verre de nouveau. A l'amour.

— Etes-vous amoureuse, Maeve ? demanda Ida.

— Euh... je...

Elle avala une gorgée de whisky qui lui brûla la gorge.

— Et vous ? dit-elle finalement.

— Que voulez-vous dire ? riposta Ida, le regard dur.

Maeve s'était imaginé que la confrontation avec Ida serait pleine de colère et d'indignation. Pourtant, maintenant qu'elles étaient face à face, elle n'éprouvait plus qu'une infinie tristesse. Cette femme, qui aurait pu devenir son amie, avait trahi l'homme que Maeve aimait. Mais Will méritait mieux qu'une fiancée volage.

— Je vous ai vue l'autre jour sur le pont de Swanton. Je vous ai appelée, mais vous n'avez pas entendu car vous étiez trop occupée à embrasser un autre homme.

Le sang sembla se retirer du visage d'Ida.

— Vous ne pouvez pas comprendre..., bredouilla-t-elle.

— Non, en effet. Peut-être feriez-vous mieux de m'expliquer, dit Maeve en croisant les bras sur sa poitrine.

— Ça ne vous regarde pas.

— J'estime que si, au contraire. Ce que vous faites n'est pas honnête envers Will.

— Vous l'aimez, rétorqua Ida, les doigts crispés sur son verre.

— Je ne veux pas le voir souffrir. C'est tout.

Elle devina aussitôt qu'Ida ne la croyait pas. Et cela ne la surprit pas car elle-même ne pouvait plus, à présent, se voiler la face.

— Pensez-vous vraiment que je désire lui faire du mal ? Will est mon ami depuis plus de vingt ans.

— Alors, parlez-lui de cet homme. Ou c'est moi qui le ferai.

— Vous le voulez pour vous, accusa Ida, désormais livide.

— A moins que vous ne vous débarrassiez de votre petit ami.

— Vous n'avez aucun droit de me lancer un ultimatum !

— Pour l'amour de Dieu, réagissez ! Vous portez l'enfant de Will ! s'emporta Maeve.

— Je vous en prie, arrêtez, supplia Ida, les larmes aux yeux.

— Vous devez laisser tomber votre petit ami, répéta-t-elle fermement.

— Je ne peux pas, gémit Ida en se laissant tomber sur une chaise et en enfouissant sa tête entre ses bras.

Ida avait l'air si misérable que Maeve dut maîtriser l'élan de sympathie qui la poussait vers elle.

— Dans ce cas, il faut rompre votre engagement envers Will, reprit-elle, plus doucement.

— Je ne peux pas faire ça non plus, avoua Ida d'un ton accablé en s'essuyant les yeux.

Maeve fit un pas vers elle, exaspérée.

— Vous devez faire quelque chose, dit-elle en détachant les syllabes. Vous ne pouvez pas dissimuler l'existence de cet homme plus longtemps. Comment croyez-vous que Will prendrait la chose s'il l'apprenait ? Il est si impatient de devenir père.

— Ce n'est pas son enfant, murmura Ida.

Maeve sentit un frisson glacé descendre le long de son dos.

— Qu'est-ce que vous avez dit ?

— Le père de mon bébé est Rick, l'homme que vous m'avez vue embrasser sur le pont.

— Je ne comprends pas.

— Ma relation avec Will est complètement platonique, expliqua Ida d'un ton morne. Il sait que l'enfant n'est pas de lui, mais de Rick.

« Une relation platonique ? » A son tour, Maeve tomba sur une chaise.

— Je suis toujours en plein brouillard. Expliquez-moi, quelle est la place de Rick dans tout ça ?

— Rick vit à San Diego. Je l'ai rencontré à l'époque où il travaillait ici. Quand sa mission a été terminée, il est reparti chez lui.

— Vous vous êtes retrouvée enceinte et Will, noble cœur, a offert de vous épouser ?

— Non. Quand Will et moi avons décidé de nous marier, je ne savais pas que j'attendais un enfant. Nous en étions tous deux arrivés à ce stade de la vie où l'on a envie de s'installer, d'avoir une famille, et ni l'un ni l'autre ne croyions plus tomber amoureux un jour. C'est ainsi que nous avons décidé de faire équipe.

Ida fit une pause pour s'essuyer le nez avec une serviette en papier, puis poursuivit :

— Le bébé a été une surprise, mais Will a dit que cela ne l'ennuyait pas que notre premier enfant ne soit pas le sien. A vrai dire, je crois qu'il était soulagé de ne pas avoir à se lancer dans la procréation assistée tout de suite, ajouta-t-elle avec un pauvre sourire.

Will et Ida n'avaient pas de relations intimes. Soudain, tout s'expliquait : voilà pourquoi ils ne faisaient jamais un geste l'un envers l'autre, ou bien seulement avec gêne ou maladresse. Il ne l'aimait pas. Pas de la manière dont on aime une femme. Il ne la désirait pas. En dépit de tout le reste, elle sentit son cœur battre dans sa poitrine comme libéré d'un insupportable poids. Elle exultait.

— Et Rick ? s'enquit-elle. Il est au courant ?

— Non.

— Il avait l'air très heureux de vous voir. Je pense que vous devriez lui parler du bébé.

— Ce n'est pas si simple...

Elle s'interrompit. Deux invités étaient entrés dans la cuisine. Elle attendit qu'ils aient trouvé le tire-bouchon qu'ils étaient venus chercher, puis reprit :

— Rick ne veut pas d'enfant. Il m'a dit dès le début de notre relation qu'il n'était pas encore mûr pour fonder un foyer. D'ailleurs, il est plus jeune que moi. Il n'a que trente ans.

— Pourquoi est-il revenu à Melbourne si ce n'était pas pour vous voir ?

— Pour son travail, répondit Ida en haussant les épaules d'un air las. Il reste ici quelques semaines, un mois peut-être.

— Néanmoins, insista Maeve, vous ne devriez pas contraindre Will au mariage alors qu'il n'est même pas le père de votre enfant.

— Personne ne le force.

Il y eut un silence. L'information faisait son chemin dans l'esprit de Maeve. Will avait décidé de son plein gré d'épouser une femme qu'il n'aimait pas et de devenir le père de l'enfant d'un autre uniquement parce que son désir le plus cher était de fonder une famille. Une famille que Maeve ne pourrait, ou ne voudrait, pas lui donner.

Ida la regardait avec compassion.

— Quand Will et moi avons décidé de nous marier, nous sommes convenus, d'un commun accord, que... si besoin était... nous pourrions avoir des relations à l'extérieur de notre couple.

— Qu'est-ce que vous dites? demanda Maeve, au bord de la nausée.

S'étant assurée qu'elles étaient toujours seules dans la cuisine, Ida baissa la voix pour préciser :

— Je... je ne m'opposerais pas à ce que Will et vous ayez une aventure ensemble.

Furieuse, Maeve se leva d'un bond, renversant sa chaise.

— Ainsi, peu vous importe qu'il couche à droite et à gauche du moment que les apparences de ce soi-disant mariage sont respectées.

— Vous avez une manière affreuse de présenter les choses.

— C'est pourtant la stricte vérité.

— Mon unique préoccupation est l'avenir de mon enfant, dit Ida en croisant ses doigts sur son ventre dans un geste maternel. Il a besoin d'un père et je n'ai pas l'intention de laisser partir Will, pas plus qu'il ne désire rompre notre engagement. Nous sommes amis depuis toujours et nous aurons le bonheur de connaître une relation durable, même si l'amour en est absent.

Maeve la dévisagea, horrifiée.

— Vous êtes aussi fous l'un que l'autre et vous n'aurez que ce que vous méritez, c'est-à-dire pas grand-chose. Mais je suis vraiment désolée pour Rick, et pour l'enfant.

Chancelante, elle traversa la cuisine et s'en fut vers la porte d'entrée de la maison, priant pour ne rencontrer personne. Surtout pas Will. Ainsi, l'obligeance avec laquelle il avait travaillé sur le panneau solaire, les regards prolongés qu'il lui avait adressés, les mains qui l'avaient effleurée comme par inadvertance n'étaient pas les signes d'un amour douloureusement refoulé parce qu'interdit, mais les préliminaires délibérés d'une aventure.

Elle se faufila à travers les voitures garées devant la maison. Il ne croyait pas à l'amour. C'était la seule conclusion possible. Elle frissonna de honte à l'idée d'avoir nourri de tels enfantillages. S'être imaginé qu'il n'avait pu résister, l'espace d'une seconde, et en dépit de sa loyauté envers Ida, à un désir trop fort d'effleurer ses lèvres. Comme elle avait été stupide !

— Maeve, où allez-vous ?

Oh, non ! Will.

Elle se retourna à contrecœur, mais continua de s'éloigner à reculons. Il se tenait debout près de ce satané tourniquet, à l'endroit même où, à peine un moment plus tôt, elle avait cru lire dans ses yeux tout l'amour du monde.

— Je dois rentrer, lança-t-elle avec un geste de la main. Merci pour l'invitation.

— Attendez, cria-t-il, visiblement perplexe, en la rejoignant aussi vite que le lui permettaient les véhicules garés en tous sens.

Maeve tira prestement de son sac ses lunettes de soleil et les posa sur son nez, mais elle ne fut pas assez rapide : il avait déjà vu ses yeux humides.

— Que se passe-t-il ? Paul s'est-il montré grossier ?

188

demanda-t-il du ton de celui qui se chargerait de le lui faire regretter.

— Non, bien sûr que non.

D'un coup d'œil, elle analysa la situation. Deux grosses cylindrées bloquaient la camionnette, aucun moyen de fuir. Elle devrait faire front et se battre. De toute façon, il était sans doute préférable d'en finir sans autre délai.

— Je viens d'avoir une conversation avec Ida. Elle m'a tout dit à propos de votre relation platonique. Et... du bébé, ajouta-t-elle après une hésitation.

Elle le vit tressaillir. Le fait qu'il ne fût pas le père de l'enfant ne lui était pas indifférent.

— Je suis désolée pour vous, dit-elle encore.

— Est-ce là tout ce qui vous bouleverse ?

— Oui. Non... Je pense que vous vous êtes mis dans une situation fausse. Mauvaise pour chacun de vous, y compris pour le bébé.

— C'est... notre décision. Que vous a-t-elle dit d'autre ?

— Elle m'a confié que vous et elle aviez conclu un accord, que vous seriez libres chacun de votre côté de... d'aller voir ailleurs. Elle a même précisé, dit-elle, décidée à aller jusqu'au bout, que vous et moi...

Mais elle ne put achever sa phrase. Il ne la quittait pas des yeux.

— Elle a vraiment dit qu'une liaison entre vous et moi lui serait égal ? demanda-t-il, l'air abasourdi.

— Pensez-vous qu'elle mentait ?

— Elle avait bien suggéré un arrangement de ce genre au début. Mais, par la suite, j'ai eu l'impression que ce modus vivendi la rendrait malheureuse. Je me demande ce qui l'a fait changer d'avis, conclut-il, pensif.

Sur ce point, Maeve aurait pu l'éclairer. Cependant un reste de solidarité féminine la retint.

— Vous feriez mieux de lui poser la question. Je dois partir maintenant.

Il la rattrapa par le bras d'une poigne ferme, qui presque aussitôt devint tendre.

— Maintenant que vous êtes dans le secret, Maeve, il faut que vous sachiez ce que je ressens pour vous.

— Non, non, se défendit-elle, sentant les larmes lui monter aux yeux, des larmes de colère et de dépit. Il n'y a pas d'avenir pour nous. Comment osez-vous imaginer un amour fait de rendez-vous clandestins dans des hôtels sordides ?

— Avec vous, l'amour ne peut qu'être pur et merveilleux, dit-il de sa voix basse et chaude.

— Non, fit-elle en reculant. Peut-être êtes-vous capable de partager, mais ce n'est pas mon cas. Et je ne jouerai pas les doublures. Vous ne l'auriez même pas suggéré si vous aviez un tant soit peu de respect pour moi. Et je ne parle pas de la prétendue amitié que vous ressentez pour Ida.

Elle criait presque à présent, sa colère ayant dominé son chagrin.

— Et il y a plusieurs choses que vous devriez savoir au sujet d'Ida !

— Je connais Ida par cœur.

— Vous ne savez pas tout.

— Maeve !

— Restez où vous êtes.

Elle atteignit sa voiture et se mit à fouiller dans son sac à la recherche de ses clés. A son grand soulagement, elle venait de s'apercevoir que le passage entre la BMW grise et la grosse Ford blanche serait suffisant pour laisser passer la camionnette.

Elle s'installa au volant et démarra. Dans le rétroviseur, elle pouvait voir Will qui la fixait, les mâchoires

190

serrées. Il lui fallut s'y reprendre à cinq fois avant de réussir à dégager son véhicule de l'imbroglio du parking improvisé. Enfin, la voie fut libre. Elle appuya sur l'accélérateur et, dans un crissement de pneus, s'éloigna sur la route.

# 11.

Ida jeta un dernier au coup d'œil au miroir des toilettes pour dames. Elle s'était recoiffée, essayant de dissimuler du mieux possible les cicatrices de sa joue sous quelques mèches de cheveux. Elle ôta la bague de fiançailles que Will lui avait offerte et la glissa dans son sac à main avant de rejoindre Rick qui l'attendait probablement déjà dans le hall de l'hôtel.

Au son de ses hauts talons sur le sol de marbre, Rick tourna la tête et un large sourire illumina son visage. Dans son élégant costume marron clair, il était si séduisant qu'elle se demanda une fois de plus ce qu'il faisait avec elle.

Pourquoi les choses étaient-elles si compliquées ? Il n'allait pas rester à Melbourne, de toute façon, alors pour quelle raison se torturait-elle ainsi ? Pourtant, elle n'avait pu résister lorsqu'il lui avait téléphoné pour lui fixer un second rendez-vous.

— Ah, te voilà, dit-il en l'embrassant de ses lèvres délicieusement fraîches. Tu m'as manqué ce week-end. Quel dommage que tu n'aies pu éviter les fiançailles de ce cousin ! poursuivit-il en la conduisant vers la salle de restaurant.

— Oui, vraiment dommage, répondit-elle l'estomac noué.

Aurait-elle le courage de lui avouer la vérité ? Maeve avait raison. Tôt ou tard, Will découvrirait le pot aux roses, à moins que ce ne fût Rick. Et, pour finir, elle pourrait bien se retrouver toute seule.

Aussi, dès qu'ils furent assis, elle prit une profonde inspiration, se redressa, le visage crispé par l'appréhension, et prit la main de Rick sur la table.

— Rick...

— Oui ? dit-il levant sur elle ses yeux clairs.

— Je... je me demandais si tu aurais envie de faire un saut au musée tout à l'heure. Il y une exposition temporaire des œuvres de Turner.

— Hélas, je ne pourrai pas t'accompagner, Ida. C'est ce que je voulais te dire tout de suite, je dois terminer le travail à la librairie plus tôt que prévu. Mon patron veut que j'abrège mon séjour ici et que je rentre à San Diego. Apparemment, les choses ne vont pas très bien là-bas.

« Souris, Ida, souris. Ne lui laisse pas voir ta déception. »

— Quand pars-tu ?

— Lundi soir. Je vais travailler dur toute la semaine, mais nous pourrons passer le week-end ensemble, ajouta-t-il en serrant sa main dans la sienne.

— C'est mon anniversaire, vendredi.

— Super ! Nous allons fêter ça tous les deux.

Ida n'était pas sûre de devoir se réjouir. Ils auraient juste le temps de se retrouver, probablement pour quelques ébats amoureux. Et où tout cela l'avait-il menée jusqu'à présent ?

Elle se pencha sur le menu, mais les mots étaient brouillés par les larmes qu'elle avait du mal à retenir.

— Je prends le « spécial », dit-elle en écartant le dépliant.

— Que préfères-tu, du vin rouge ou du blanc ? demanda Rick après avoir passé leur commande.

— Seulement de l'eau pour moi. J'ai un peu mal à la tête.

— Est-ce que je t'ai parlé du ranch que je fais construire près de San Diego ? poursuivit-il dès que le serveur fut parti.

— Non.

Il se mit à décrire, avec enthousiasme et force détails, le quartier dans lequel il allait emménager, les amis qu'il s'y était déjà faits, la campagne alentour... A mesure qu'il parlait, Ida se sentait sombrer. La vie de Rick était ailleurs, de l'autre côté du Pacifique. Loin d'elle et de leur enfant.

Cependant, avait-elle le droit de se taire ?

— Ta nouvelle maison a vraiment l'air très agréable, se força-t-elle à dire.

— Es-tu déjà allée en Californie ?

Et comme elle secouait la tête en signe de dénégation, il poursuivit :

— Je suis sûr que ça te plairait beaucoup. Je prends mes vacances en juillet, ajouta-t-il après une légère hésitation. Aimerais-tu me rendre visite ?

Ida fit un rapide calcul. Elle serait enceinte de huit mois à ce moment-là, et aucune compagnie aérienne ne la laisserait embarquer.

— En fait, je vais être assez occupée en juillet.

Rick pinça les lèvres et elle comprit qu'elle venait de tout gâcher. Mais sans doute ne l'avait-il invitée que par pure courtoisie. C'était assez son style.

— Rick, je...

— Ne te tracasse pas pour ça. Une autre fois, peut-être ?

Et il jeta un coup d'œil à sa montre alors qu'une ving-

taine de minutes à peine s'étaient écoulées depuis leur
arrivée. »Tu dois lui parler. Allez, décide-toi, l'heure
n'est plus à la lâcheté », s'encourageait Ida.

— Rick. Je suis enceinte et l'enfant est de toi, lâcha-
t-elle brusquement.

Il blêmit, puis ouvrit la bouche pour parler mais aucun
son n'en sortit. Il semblait terriblement choqué. Mais le
plus douloureux pour elle fut de reconnaître la lueur qui
s'était allumée dans son regard : une lueur d'effroi.

— Ne t'inquiète pas, parvint-elle à dire en souriant et
en songeant avec amertume qu'elle était devenue experte
à ce petit jeu. Je ne te demande rien. Les fiançailles dont
je t'ai parlé, l'autre soir... eh bien ! il s'agissait des
miennes. Je vais me marier.

Will arpentait le chemin de la falaise qui surplombait
la plage de Sorrento, observant avec humeur la mer
désespérément plate. Après l'altercation qu'il avait eue
avec Maeve, il aurait affronté avec plaisir les vagues les
plus violentes. Hélas, l'océan n'était pas prêt à coopérer.

Sa mémoire le torturait, lui rappelant encore et encore
la passion et le désir qu'il avait lus dans les yeux de
Maeve, après qu'il l'eut embrassée. Puis, dans ces mêmes
yeux, la haine et le dégoût, lorsqu'elle avait cru qu'il ne
lui proposait rien d'autre qu'une vulgaire liaison. Avait-il
vraiment laissé entendre qu'il souhaitait ce genre de relation ? Leur échange avait été si rapide, si chargé d'émotions contradictoires, qu'il se souvenait à peine de ce
qu'il avait pu dire. Pendant quelques secondes, il lui avait
semblé entrevoir le paradis, et, l'instant d'après, celui-ci
avait disparu. Maeve s'était senti reléguée au second
plan, et il se haïssait pour cela. Elle méritait tellement
mieux, tellement plus qu'il ne pouvait lui offrir.

Il donna un coup de pied dans les cailloux qui dévalèrent la pente, en tous sens, à l'image de sa vie dont il avait complètement perdu le contrôle. Il se trouvait engagé envers une femme et en aimait une autre, qui semblait le fuir un peu plus à chaque nouvelle rencontre. Elle avait prononcé le mot « amour », mais lui ne savait même plus ce qu'il signifiait.

Une quinzaine de mètres plus loin, Mouse, assis sur le sentier sablonneux, regardait la mer en fumant une cigarette. Sa combinaison de plongée, roulée jusqu'à la taille, révélait son torse tatoué et ses biceps noueux. Depuis des années, tous deux surfaient sur les mêmes plages, mais ils ne s'étaient jamais adressé plus que quelques mots.

Le surfer tira une dernière bouffée sur sa cigarette et l'écrasa dans le sable. Puis il ramassa sa planche et se dirigea vers le parking.

— Rien à espérer aujourd'hui, mon vieux, dit-il en passant près de Will.

Will répondit par un grognement entendu. Il aurait dû s'informer des conditions météo avant de venir, mais il était trop pressé de fuir la maison, croyant échapper à ses soucis. Cela n'avait pas marché. Il avait simplement emporté ses ennuis avec lui.

Heureusement, la situation à l'usine s'améliorait. Il avait déplacé McLeod et Kitrick, qui travaillaient maintenant ensemble au dépôt, à l'écart des autres, limitant ainsi le champ d'action de ces fauteurs de troubles. Par ailleurs, les primes et les bonus, qu'il avait versés à ses employés afin de leur exprimer sa reconnaissance, avaient apaisé les ressentiments.

Il s'essuya le front d'un revers du bras. L'atmosphère étouffante ne faisait qu'envenimer son humeur. Aussi loin que remontaient ses souvenirs, il ne se rappelait pas avoir jamais connu un été aussi chaud. Avec un soupir, il se dirigea à son tour vers sa voiture. Mieux valait ne pas être en retard à l'usine, les employés travaillaient dur et avaient besoin de son soutien. Du reste, il était inutile de leur fournir un nouveau motif de mécontentement.

Une heure plus tard, il arrivait devant les grilles de l'usine. Il y avait du monde à l'entrée et plusieurs véhicules étaient garés en travers de la route. Y avait-il eu un accident? Un incendie?

Abandonnant aussitôt la Mercedes sur le bas-côté, il rejoignit rapidement le groupe. C'est alors qu'il comprit. Des banderoles flottaient au-dessus des têtes de ses employés. Seuls quelques-uns, parmi lesquels il reconnut Renée, se tenaient à l'écart, l'air embarrassé. Alors qu'il approchait, McLeod sauta sur le capot d'une camionnette et, mégaphone en main, se mit à appeler à la solidarité.

Ils étaient en grève.


— Hello, papa! lança Maeve en entrant dans la cuisine juste au moment où Art raccrochait le téléphone. Que se passe-t-il? ajouta-t-elle aussitôt en remarquant sa mine contrariée.

— C'était Renée. Le personnel s'est mis en grève à l'usine, l'informa-t-il tout en prenant une canette de bière dans le réfrigérateur. J'avais prévenu Will que McLeod et son acolyte préparaient un mauvais coup. Sales types!

— Regarde ce que tu fais, papa! Ta bière dégouline partout sur le sol, dit-elle en saisissant une serpillière. Tu as dit toi-même que Will exigeait trop des hommes ces derniers temps.

— Il travaille plus dur que le plus courageux d'entre eux. Est-ce que ces imbéciles ne se rendent pas compte que s'il n'honore pas ses contrats, les primes ne seront pas versées? Il faut que j'y aille, conclut-il après avoir avalé une lampée de bière.

— Tu es fou, s'exclama-t-elle. Tu viens juste de commencer un nouveau travail. Crois-tu qu'ils vont accepter que tu t'absentes à la première occasion ?

— Je démissionnerai s'il le faut, répondit-t-il d'un air déterminé.

— Tu ne feras pas ça ! lança-t-elle en jetant la serpillière dans l'évier. Ce poste est bien trop important pour toi. Tu sais que ce n'est pas facile de trouver un emploi à ton âge.

— Explique-moi un peu comment je pourrais laisser tomber Will alors que, s'il n'avait pas été là, je me morfondrais à la maison depuis cinq ans !

— Et que feras-tu là-bas ? Pourquoi irais-tu risquer ton propre avenir alors que tu ne sais même pas si ta présence est utile ? Pff..., soupira-t-elle, je croyais que nous avions déjà eu cette conversation.

— La situation a changé. Ce n'est pas un hasard s'ils ont voté la grève après mon départ. McLeod n'aurait pas eu une chance de les monter contre Will si j'avais été là.

— Papa, cesse de vouloir protéger Will. Laisse-le se débrouiller, il en est tout à fait capable.

Art n'écoutait plus.

— Je savais bien que c'était moche de ma part de l'abandonner dans ce bourbier, marmonnait-il. J'irai demain matin à la première heure. La perte de production ne sera pas trop grave si je parviens à les décider à reprendre le travail.

— Parfait, fit-elle en levant les bras au ciel. Agis comme bon te semble. Ne te fais surtout pas de soucis pour le loyer, la note du supermarché et toutes ces basses exigences de l'existence. Tu peux bien rester ici éternellement...

Ces derniers mots tirèrent Art de ses réflexions. Il lui jeta un regard furieux.

— C'est ça qui t'inquiète, que je reste ici pour toujours ?

Oh, misère, pourquoi s'était-elle emportée ?

— Non, bien sûr que non, dit-elle, se rattrapant vivement. Tu es ici chez toi aussi longtemps que tu en auras envie, tu le sais.

— Tranquillise-toi, rétorqua-t-il d'un ton de dignité blessée. Je chercherai un appartement dès que la grève sera terminée. Je ne veux pas être un poids pour ma fille.

Maeve l'entoura de ses bras, sincèrement peinée de l'avoir offensé.

— Allons, papa, ne dis pas de bêtises, je ne pensais pas un mot de ce que je disais. Je me fais du souci pour toi, c'est tout. Mais je ne veux pas que tu partes. Honnêtement, dit-elle tout en prenant conscience avec surprise que c'était l'entière vérité. Et puis, qui me cuisinerait de bons petits plats si tu n'étais pas là ?

— Nous en reparlerons plus tard, fit-il d'un ton radouci. Mais j'irai à Aussie Electronique, c'est décidé, inutile de chercher à m'en dissuader.

Maeve sortit dans le jardin pour remplir la mangeoire des oiseaux. Puis elle erra un moment au milieu des plates-bandes, essayant de chasser ses inquiétudes à propos de son père et d'oublier le vide douloureux que le souvenir de Will creusait en elle à tout moment.

Elle ne lui en voulait plus. Il ne s'était exprimé comme il l'avait fait que sous l'empire de la surprise et de l'émotion. Et bien qu'elle fût certaine que jamais elle n'accepterait d'avoir une aventure avec lui, elle commençait à penser que sa réaction avait été disproportionnée. D'ailleurs, elle avait peut-être mal interprété ses propos.

Toutefois, indépendamment de ce qui s'était passé ensuite, le baiser qu'ils avaient échangé avait suffi à la convaincre qu'elle ne devait pas accepter l'invitation de Graham. Et plus tôt elle l'avertirait, mieux ce serait.

Forte de cette décision, elle retourna dans la cuisine et

composa le numéro de son portable. Il avait branché la messagerie. Peut-être dormait-il, à moins qu'il ne fût sous la douche. Auquel cas, il en serait sorti lorsqu'elle arriverait.

Le soleil couchant colorait de reflets orangés l'eau clapotante du port, lorsqu'elle descendit la passerelle instable au bout de laquelle était amarré le voilier de Graham : un ketch de onze mètres en fibres de verre.

— Ho, ho! Il y a quelqu'un? appela-t-elle devant le pont désert.

Pas de réponse. Et s'il avait coupé son portable parce qu'il passait la soirée avec une femme?

Au même instant, la tête de Graham émergea du rouf.

— Maeve! s'exclama-t-il, l'air ravi de la voir. Bienvenue à bord.

— Je ne te dérange pas? Vraiment? demanda-t-elle en notant ses cheveux en désordre et sa chemise froissée. J'ai essayé d'appeler, mais...

— J'ai fait une petite sieste, expliqua-t-il en bâillant. Je m'entraîne, tu comprends et, ma foi, je suis devenu assez bon.

— J'en suis sûre, répliqua-t-elle en se tenant à l'étai pour sauter sur le plat-bord.

Graham lui tendit une main secourable et, l'ayant tirée vers lui, la reçut dans ses bras. Il sourit et l'embrassa sur les lèvres.

— Je suis très heureux de te voir.

— Moi aussi, fit-elle en se libérant de son étreinte.

— Assieds-toi, proposa-t-il en indiquant la banquette du cockpit. Que dirais-tu d'un verre de chardonnay? A moins que nous n'ayons quelque chose à célébrer au champagne? ajouta-t-il une lueur d'espoir dans les yeux, alors qu'il était déjà à mi-chemin de l'escalier.

— J'ai bu assez de champagne comme ça cette semaine. Le chardonnay sera parfait.

Il disparut dans la cabine et revint quelques minutes plus tard avec, dans une main, un seau à glace dans lequel était plongée la bouteille de vin blanc, et dans l'autre, deux verres de cristal.

— Alors, raconte, où t'es-tu grisée de bulles ces jours-ci ?

— Oh, j'étais invitée aux fiançailles d'un de mes clients, répondit-elle en tenant les verres afin qu'il puisse les remplir.

— Je ne savais pas que tu avais l'habitude d'assister à ce genre de réceptions. « Il n'est pas sage de mélanger le plaisir et le travail », disais-tu autrefois.

— C'était un peu différent cette fois, dit-elle évasivement.

Elle but une gorgée de chardonnay et ajouta en observant le ciel maintenant presque violet au ras de l'eau :

— Je suppose qu'il est trop tard pour une petite virée en mer ?

— Oui, mais je suis content que cela te tente, dit-il en s'installant auprès d'elle sur la banquette.

Il avait passé un peigne dans ses cheveux et changé de chemise. Une légère odeur de dentifrice flotta jusqu'à ses narines, qui lui rappela tous ces matins où ils avaient partagé la même salle de bains, ces moments d'innocence et de légèreté ; un temps lointain où ils riaient ensemble plus souvent qu'ils ne se disputaient.

— Je suis allé voir Kristy cet après-midi, reprit-il.

Il voulait dire qu'il s'était rendu au Frankston Memorial Park, le cimetière où Kristy était enterrée. Quelques années auparavant, le jour qui aurait dû être le premier anniversaire de sa fille, Maeve était allée sur sa tombe et elle n'avait pas cessé de pleurer pendant une semaine. Depuis, elle n'y était pas retournée.

— Je lui ai apporté des fleurs, des œillets roses, dit-il encore.

Aucun mot ne réussit à franchir les lèvres de Maeve. Elle aurait voulu pouvoir parler de Kristy avec le même naturel que son ex-mari, et, en même temps, elle lui reprochait intérieurement de manquer de cœur.

— Maeve, il faut la laisser partir maintenant, dit-il d'une voix douce.

Elle secoua la tête, se redressa et dit :

— Raconte-moi ta dernière croisière. Où es-tu allé ?

Graham lui conta ses aventures aux îles Marquises. Il l'étonna, la fit rire et ils bavardèrent ainsi un long moment en buvant la bouteille de vin blanc. A la suite de quoi, Maeve réclama du café afin de pouvoir reprendre le volant. Finalement, elle se leva et étira ses membres ankylosés.

— Merci, Graham. Je dois rentrer maintenant.

— La lune est presque pleine, remarqua-t-il en glissant un bras autour de sa taille. Si tu restais cette nuit, on pourrait lever l'ancre à la première heure demain matin.

— On peut aussi aller naviguer dimanche après-midi.

Graham prit alors le visage de Maeve entre ses mains et la considéra gravement.

— As-tu réfléchi à ma proposition ?

— Tu veux parler des îles Fidji ?

— Des Fidji et du reste. Tu n'as pas besoin de te décider tout de suite pour « le reste », ajouta-t-il comme elle restait silencieuse. Tu sais, j'étais sincère quand je t'ai dit que je ne voulais plus d'enfants. J'ai presque quarante ans et je crois avoir passé l'âge de changer des couches en pleine nuit. Nous ferons selon tes désirs : pas d'enfants.

Et, sans attendre de réponse, il se pencha sur elle pour l'embrasser. Elle détourna le visage et les lèvres de Graham s'écrasèrent sur sa joue.

— Je suis désolée, Graham, dit-elle précipitamment. Ce n'est pas possible. J'aime quelqu'un d'autre.

— Tu vas l'épouser ? demanda-t-il, après un moment de silence.

— Non. La situation est assez compliquée.

— Bon, si tu changes d'avis, tu sais où me trouver.

— Cette semaine, oui, et peut-être la suivante, plaisanta-t-elle.

— Ah ! Moi qui me demandais où était passé ton sens de l'humour légendaire... Mais tu as raison. Il se peut que je largue les amarres à la fin de mon remplacement. Je n'ai guère de raisons de rester, n'est-ce pas, ajouta-t-il d'une voix mélancolique.

— C'était bon de te revoir, Graham. Je regrette que cela ne puisse pas marcher entre nous.

— C'est la vie, comme on dit. Cependant, promets-moi que tu prendras soin de toi, Maeve. Tu me sembles un peu... vulnérable.

— Ça ira.

Elle l'espérait. Du moins se sentait-elle apaisée à l'idée que sa relation avec Graham avait finalement atteint son épilogue.


Une heure plus tard, assise en tailleur sur son lit dans les rayons de lune qui filtraient à travers la dentelle des rideaux, elle brossait ses cheveux en rêvant. Elle se remémora le baiser de Graham, qu'elle avait esquivé non seulement pour décourager ses espoirs, mais aussi pour une autre raison, qu'elle s'avouait à présent avec émoi : elle avait voulu conserver intact le souvenir du baiser de Will. Si elle fermait les yeux, elle pouvait encore sentir ses lèvres douces et chaudes sur les siennes. Elle s'étendit en soupirant, et c'est dans les bras de son inaccessible bien-aimé qu'elle finit par sombrer dans l'oubli du sommeil.

L'aboiement d'un chien la réveilla en plein milieu de la nuit. La lune s'était couchée, faisant place à un ciel d'encre. Pendant des heures, elle se retourna sur son oreiller, l'esprit en ébullition. Les soucis que lui causait son père se mêlaient au souvenir de Kristy. Mais, cette fois, elle se défendit de songer à Will. Ses pensées à son sujet étaient suffisamment noires pour qu'elle ne les examinât pas dans la solitude et le silence de la nuit, de peur de les voir prendre des allures de tragédie.

Elle se rendormit aux petites heures du matin et quand la sonnerie de son réveil la tira de nouveau du sommeil il lui sembla que quelques minutes à peine s'étaient écoulées. Elle déjeuna sans appétit puis s'habilla. Art était déjà parti, vraisemblablement à l'usine comme il l'avait promis.

Encore ensommeillée, elle se rendit au garage pour charger son matériel dans la camionnette et fut surprise de trouver, posé sur l'établi, le panneau solaire auquel était fixé le nouveau thermorégulateur. Will était probablement passé très tôt, alors qu'Art était encore là pour lui ouvrir la porte du garage. Peut-être avait-il laissé un mot ? Elle prit la liasse d'instructions, et, en effet, une petite note s'en échappa.

Elle la ramassa d'une main tremblante. Will n'avait écrit que deux mots : « Pardonnez-moi ».

Une larme coula sur sa joue et vint s'écraser sur le papier, diluant l'encre. « Je t'ai déjà pardonné, Will », dit-elle à mi-voix.

La journée offrit une trêve au cours de ses pensées. Elle rejoignit Tony chez un client à Rosebud et l'aida à installer un système d'arrosage automatisé. Puis ils créèrent un parterre d'herbes aromatiques, tâche qu'elle appréciait particulièrement. Tony retournait le sol tandis qu'elle disposait les pavés, dessinant petit à petit la forme d'une étoile circonscrite dans un cercle. Lorsque le tracé fut achevé, elle planta les pieds de lavande et de valériane au centre, les vivaces — sauge, marjolaine, origan, romarin et thym — dans chacune des branches de l'étoile et, dans les triangles laissés vides, les annuelles comme le persil, le basilic et la coriandre. L'air était plein des arômes mélangés des herbes, et les jeunes plants, savamment ordonnés, réjouissaient l'œil.

— Merci, Tony, dit-elle après avoir contemplé leur œuvre quelques minutes. Je vais chez Beaumont maintenant. Pourras-tu terminer seul l'installation de l'arrosage ?

— Pas de problème.

Elle dut remporter dans la camionnette les plantes en surnombre. Comme d'habitude, elle avait vu trop grand. Mais peu importait, elle pourrait les mettre en pots. A moins qu'elle ne les plante dans la rocaille de Will ? Ni lui, ni Ida n'aimaient cuisiner, mais ces herbes étaient aussi décoratives qu'utiles et, qui sait, Ida prendrait peut-être goût aux tâches domestiques lorsqu'elle serait devenue mère. Cependant, une partie d'elle-même refusait l'idée qu'un jour Ida parsèmerait le repas de Will des herbes qu'elle aurait plantées.

C'est pourtant ce qu'elle était en train de faire, une heure plus tard, lorsqu'elle se souvint que l'anniversaire d'Ida avait lieu ce soir-là. Elle avait déjà planté la lavande dans la rocaille et finissait de tasser la terre autour du basilic dans un joli pot de terre cuite accroché dans le patio. Cela fait, elle descendit jusqu'à la piscine voir le *Selenicereus*. Les boutons, gonflés de sève, étaient prêts à éclore. La Reine de la Nuit ne patienterait pas jusqu'au mariage. Aussitôt, elle revit le disque d'or, presque parfait, qui brillait sur le port la veille au soir. Cette nuit, la lune serait pleine.

Et selon elle, une fleur qui ne s'épanouit qu'une fois par an était une excellente raison de renoncer à un match de football. Elle regarda sa montre, Will ne devrait plus tarder. Elle allait l'informer de l'événement et le remercier de nouveau pour le panneau solaire. Peut-être serait-ce l'occasion de rétablir entre eux une relation amicale. Et s'il ne se montrait pas, elle resterait pour assister au spectacle rare de l'éclosion.

Elle rangea ses outils à l'arrière de la camionnette, déplaça le véhicule qui était garé en plein soleil et retourna s'asseoir sur le bord de la rocaille. Mais les pierres lui semblèrent bientôt inconfortables, et la chaise longue qui se trouvait dans un coin ombragé à proximité de la piscine paraissait lui tendre les bras. Elle n'hésita qu'un instant avant de se décider. S'étant assise, elle retira ses chaussures et laissa pendre ses pieds dans le bassin. Qu'il était bon de barboter ainsi dans l'eau fraîche ! Puis elle s'allongea lentement et sentit peu à peu ses muscles se décontracter. Elle était si lasse. Elle ne faisait rien de mal en fermant les yeux... de toute façon, elle sauterait sur ses pieds à la seconde même où elle entendrait la voiture de Will.

Dans le hall d'Aussie Electronique, Will observait ce qui se passait à l'extérieur à travers les stores vénitiens. Un des piquets de grève s'en allait, laissant McLeod et Kitrick à leur veille. Ils allaient rester là toute la nuit afin d'empêcher qu'aucun fournisseur ne puisse pénétrer à l'intérieur de l'usine. Will porta le bout de ses doigts à ses tempes et appuya aussi fort qu'il put ; la douleur pulsait sous la peau, implacable.

— Combien de temps peuvent-ils tenir ? interrogea Art en arrivant derrière lui.

— Plus longtemps que nous. McLeod refuse toujours de négocier. Il court à sa propre ruine, mais si ni vous ni moi ne pouvons lui faire entendre raison, je ne sais pas où nous allons.

Une poignée de fidèles employés avaient bravé les grévistes et réussi à maintenir une chaîne de production en activité. Renée elle-même avait revêtu une blouse blanche et se rendait utile en répartissant les composants. Mais, inévitablement, les fournitures manqueraient bientôt. Il fallait sortir de l'impasse.

— Je crois que j'ai une idée, dit Art.

— Oui ?

— Les actionnaires réclament des profits plus importants et c'est pour cette raison que vous êtes obligé de délocaliser, c'est bien ça ?

— Grosso modo, c'est ça, acquiesça-t-il avec la sensation que sa tête était prise dans un étau.

— Pourquoi ne pas leur racheter leurs parts ?

— Hélas, je ne peux pas me le permettre. Je n'ai pas les liquidités suffisantes et la banque refuse de m'accorder un prêt. Cependant, ajouta-t-il en agrippant l'épaule d'Art, je vous suis extrêmement reconnaissant d'être revenu nous soutenir. J'ai essayé toute la journée de joindre Ron à A.B. Electronique pour lui demander d'accepter de se passer de vous quelques jours.

Il était intimement convaincu que s'il lui expliquait la situation, Ron comprendrait la loyauté d'Art envers son ex-patron.

— Ne vous inquiétez pas pour ça, répondit Art en balayant le sujet d'un geste de la main. Quand je parlais de racheter les parts, je ne pensais pas à vous, mais au personnel. J'ai lu qu'aux Etats-Unis, des ouvriers avaient racheté leur compagnie. Au début, ils se sont contentés de salaires très bas, mais l'usine n'a pas fermé et, par la suite, elle est devenue non seulement viable mais très productive. S'il existait ne serait-ce qu'une chance que les employés d'Aussie conservent leur emploi, je suis prêt à parier que les grévistes se remettraient au travail et traverseraient la crise à vos côtés.

L'idée avait effleuré Will, mais un rapide calcul la lui avait fait rapidement écarter. Il possédait cinquante-cinq pour cent de la société et même si le personnel détenait les quarante-cinq pour cent restants, le capital ne suffirait pas à maintenir l'usine à flot. Il lui faudrait céder aux employés une partie de ses parts, ce qui signifiait qu'il perdrait le contrôle de sa compagnie. Et il ne s'était pas battu pendant toutes ces années pour se retrouver simple salarié dans sa propre affaire.

— J'ai envisagé cette alternative, mais cela implique des conséquences que je ne peux me résoudre à accepter, dit-il finalement.

Néanmoins, le regard que lui adressa Art lui fit mal. C'était celui d'un homme qui vient de perdre toutes ses illusions.

Will sortit du parking par une issue secondaire, derrière les bâtiments, afin d'éviter une nouvelle confrontation avec McLeod. Il n'aspirait plus qu'à une chose : rentrer chez lui et se mettre un sac de glace sur le front. Seulement, il avait rendez-vous avec Ida. Peut-être découvrirait-il pourquoi elle envisageait désormais une relation non exclusive. Ils n'avaient pas eu l'occasion de parler seul à seule pendant la soirée, ni après, car amis et famille étaient restés pour les aider à débarrasser. Et chaque fois qu'il l'avait appelée depuis, elle s'était déclarée indisponible. S'il ne l'avait pas connue aussi bien, il aurait pu croire qu'elle l'évitait. Mais ce soir, ils étaient convenus que Will passerait la prendre à la sortie du bureau et qu'ils célébreraient ensemble son anniversaire.

Pourtant, lorsqu'il arriva, l'étude était fermée. Elle avait laissé un mot sur la porte disant qu'en définitive, elle ne pourrait pas passer la soirée avec lui. Pas d'excuses, pas d'explications. Elle mentionnait simplement qu'elle l'appellerait le lendemain. Le choc parut aviver encore, s'il était possible, la douleur lancinante qui pulsait sous ses tempes.

Elle lui faisait faux bond. Quand il s'était donné tant de peine, suivant les conseils de Maeve, pour organiser lui-même un agréable dîner au lieu de la soirée football initialement prévue. Il ne s'agissait pas à proprement parler d'un dîner romantique, étant donné les liens qui les unissaient, mais il avait acheté des fruits de mer pour le barbecue, une bouteille d'excellent vin et les chocolats les plus fins qu'on puisse trouver à Melbourne. Qu'est-ce qu'une amie pouvait désirer de plus ?

Déconfit, il regardait son bouquet de roses jaunes quand un bruit de clés le fit se retourner. C'était Sally, chargée d'une pile de dossiers.

— Qu'est-il arrivé à Ida ? demanda-t-il sans se perdre en politesses inutiles. Elle est malade ? Elle est rentrée chez elle ?

— Je ne sais pas.

— Le bébé va bien ? ajouta-t-il, saisi d'une peur panique.

— A ma connaissance, oui, le rassura Sally.

— Alors, que s'est-il passé ?

— Elle est partie avec Rick..., commença-t-elle, s'interrompant aussitôt une main sur la bouche. Pardon, je n'étais peut-être pas censée dire ça.

Rick... Soudain, il entendit la voix furieuse de Maeve lui dire qu'il ne savait pas tout au sujet de sa fiancée.

— S'il vous plaît, si vous la voyez, dites-lui... Non, je le lui dirai moi-même, déclara-t-il changeant brusquement d'idée.

Quelques minutes plus tard, il se trouvait devant chez Ida, mais sa voiture n'était pas là et personne ne répondit à son coup de sonnette. Il fit le tour de la résidence, découvrit, à proximité d'un tuyau d'arrosage enroulé, un robinet et un seau en plastique qu'il remplit à moitié et dans lequel il planta son bouquet. Puis il déposa le seau devant la porte d'Ida. Enfin, il réintégra la Mercedes et reprit le chemin de Sorrento, une main pressée sur son front. Depuis quand Rick était-il revenu en ville? Et pourquoi Ida ne lui en avait-elle pas parlé? Un mois plus tôt, elle n'aurait jamais trahi ainsi leur amitié.

Une fois rentré, Will mit deux cachets d'aspirine dans un verre et se traîna à l'étage pour se changer. Quelques brasses dans l'eau fraîche de la piscine calmeraient peut-être sa migraine. Mais en même temps des idées folles le taraudaient: il se passait sûrement quelque chose entre Ida et Rick... elle s'était peut-être enfuie avec lui à San Diego... C'est alors que l'incroyable vérité s'imposa à lui. Son cœur fit un bond dans sa poitrine: il allait peut-être recouvrer sa liberté. Et en même temps le cœur de Maeve!

Pourtant Ida, qui avait un profond besoin de sécurité, avait affirmé que Rick ne désirait ni se marier ni fonder une famille. Très vite il déchanta: en fait sa fiancée était tout simplement en train de s'amuser et elle n'avait pas résisté à la tentation de renouer, provisoirement, avec Rick.

Dans la chambre, la chaleur était étouffante. Il ôta sa chemise et son pantalon de ville et enfila un maillot de bain. Puis il ouvrit la fenêtre en grand. De l'autre côté de la baie, le soleil déclinait sur un horizon noyé de brume. Port Philip scintillait d'un éclat d'étain.

Et dans le jardin, au bord de la piscine, Maeve sommeillait.

# 12.

En dépit du goût d'amertume que lui avait laissé leur dernière rencontre, Will sentit un frisson de plaisir le parcourir. Que faisait-elle là ? Pourquoi n'avait-il pas vu la camionnette ? La brise du large caressa ses épaules nues et il réalisa qu'il n'obtiendrait pas de réponses à ses questions en restant dans sa chambre.

Il attrapa une serviette dans son placard, hésita, puis en prit une seconde. Il avait préparé un agréable dîner pour deux. Ida était partie quelque part avec Rick. Pourquoi ne pas passer la soirée avec Maeve ? Enfin... si elle acceptait.

Sa tête le faisait encore souffrir, mais, bizarrement, il n'y prêtait plus attention. Ayant passé un short sur son maillot de bain et enfilé un T-shirt, il descendit au rez-de-chaussée, gagna le patio, et traversa la pelouse à pas de loups. Au bord de la piscine, telle la Belle au bois dormant, Maeve dormait toujours.

Il s'accroupit auprès d'elle et l'observa longuement, comme il n'avait jamais eu le loisir de le faire auparavant. Des petites boucles échappées de sa tresse étaient collées à ses tempes. Sa poitrine se soulevait au rythme régulier de sa respiration. Ses jambes bronzées luisaient dans la chaleur du soir, légèrement repliées.

« Réveille-la d'un baiser », murmurait une petite voix à son oreille.

— Maeve, chuchota-t-il, brûlant du désir de glisser la main sur sa peau satinée.

Dans un soupir, elle releva un bras au-dessus de la tête et son geste dénuda un peu son ventre palpitant. Combien de temps résisterait-il ?

— Maeve, réveillez-vous, répéta-t-il doucement.

Il détourna le regard vers ses pieds nus, si minces, si fragiles. Ses ongles étaient peints d'un vernis rose très pâle. Puis il revint à son visage. Elle dormait profondément ; il le voyait au mouvement rapide de ses yeux sous ses paupières. A quoi rêvait-elle ? Etait-il possible que ce fût à lui ? Malheureusement, il se faisait sûrement des illusions et il imaginait aisément la réaction qu'elle aurait si elle s'éveillait à cet instant : elle serait probablement furieuse.

« Réveille-la d'un baiser », insistait la voix. Tout doucement, il inclina la tête vers les lèvres douces, sentit son souffle léger...

— Will ! s'écria-t-elle en ouvrant soudain les paupières.

Elle se redressa d'un bond et, levant les yeux vers le ciel, demanda :

— Quelle heure est-il ? Est-ce que vous étiez en train de me regarder dormir ?

— J'essayais de vous réveiller. Que faites-vous ici ?

— Le *Selenicereus* va éclore ce soir.

Elle descendit de la chaise longue, s'approcha de la plante et, prenant entre ses mains un des boutons renflés, expliqua :

— Les fleurs commenceront à s'ouvrir à la nuit tombée. Je ne voulais pas que vous manquiez ça. Vous pourrez aller une autre fois à un match de foot, ajouta-t-elle d'une voix tendue, Ida préférera de loin assister à ce petit événement.

214

— Nous n'allons plus au match, dit-il, portant inconsciemment une main à son front sous l'effet d'une douleur fulgurante.

— Qu'y a-t-il ? demanda-t-elle aussitôt en relâchant la tige d'un geste délicat.

— Un peu de migraine. Maeve, je voulais vous dire à propos de ce qui s'est passé l'autre soir...

— N'en parlons plus.

— Si. Je regrette vraiment. Je voudrais que vous sachiez que j'ai le plus grand respect pour vous.

Il s'interrompit, vaincu par un nouvel élancement.

— Je peux vous faire une tisane qui vous soulagerait, proposa-t-elle.

— Je viens de prendre deux cachets. Ça ira mieux dans un instant.

— Comme vous voudrez, fit-elle d'un air sceptique. Je vais vous laisser à présent. Je suis contente que vous ayez renoncé au match, ajouta-t-elle avec un sourire crispé. Qu'avez-vous prévu à la place ?

— Un barbecue de fruits de mer au clair de lune.

— Très bonne idée. D'autant que vous aurez la chance de voir fleurir le *Selenicereus*.

— C'est ce que j'*avais* prévu, rectifia-t-il. Mais Ida s'est décommandée.

De nouveau, il serra sa tête entre ses deux mains.

— Venez, asseyez-vous, dit-elle en l'entraînant vers une chaise longue.

— Ça va, je vous assure, protesta-t-il mollement tout en se laissant conduire.

S'étant placée derrière lui, elle entreprit de lui masser doucement les tempes.

— Est-ce que la douleur s'atténue ? demanda-t-elle au bout de quelques instants.

— Mm... ça fait du bien. Avez-vous trouvé mon petit mot ? ajouta-t-il en se contorsionnant pour la regarder.

— Oui. Et je vous ai pardonné. Nous étions tous sur les nerfs, l'autre soir.

Dieu merci, elle ne lui en voulait pas. Will se détendit légèrement.

— Que s'est-il passé avec Ida ce soir ? Elle va bien ? reprit Maeve.

— Je suppose que oui. Elle est sortie avec Rick.

— Elle vous a donc finalement avoué qu'il était en ville. Vont-ils reprendre leur relation là où ils l'avaient laissée ?

— Elle n'a rien dit, répondit-il, amer. Je ne savais même pas que Rick était à Melbourne avant que sa secrétaire ne laisse échapper l'information. Mais je vois que vous étiez au courant.

— Ida m'en a parlé le jour de vos fiançailles, dit-elle en s'asseyant sur le bord du transat. J'ai pensé que ce n'était pas à moi de vous le dire. Ecoutez, je sais que vous avez déjà adopté cet enfant dans votre cœur, mais ne pensez-vous pas que vous devriez encourager Ida à dire la vérité à Rick ?

— Je l'ai fait. Elle jure qu'il ne veut pas du bébé.

En soupirant, il se rallongea et ferma les yeux.

— Je vais aller cueillir quelques brins de lavande et de valériane pour vous faire une tisane, et, ensuite, je vous laisserai vous reposer, dit-elle en se levant.

— Ne partez pas, Maeve, pria-t-il en la retenant par la main. Restez et assistez au spectacle de la Reine de la Nuit dont vous m'avez chanté les merveilles.

— J'aimerais beaucoup ça.

— Et nous dînerons ensemble. Ce serait dommage de laisser perdre ces délicieuses gambas, plaida-t-il comme elle fronçait les sourcils.

— C'est tentant. Mais je suis encore en tenue de travail, observa-t-elle en baissant les yeux sur ses vêtements.

216

— Vous êtes très bien ainsi.

La pleine lune devait commencer à lui faire de l'effet. Rien dans sa vie ne lui avait jamais semblé plus essentiel, à cet instant, que de décider Maeve à passer la soirée avec lui.

— Vous êtes triste à cause d'Ida, reprit Maeve. Peut-être l'aimez-vous plus que vous ne l'imaginiez.

— Je ne l'aime pas, enfin pas comme vous l'entendez, mais je m'inquiète pour elle. J'ai bien peur que Rick ne lui brise le cœur une seconde fois. J'irai le trouver dès demain et lui demanderai ses intentions.

— Cela risque de paraître plutôt étrange de la part du fiancé officiel, remarqua-t-elle avec un petit rire.

— Nous verrons bien...

— Bien, je vais faire cette infusion et, pendant que vous vous remettrez, je ferai un aller et retour chez moi pour me changer.

Il ferma les yeux et somnola sans doute un moment, car il ne les rouvrit que lorsqu'il sentit sur son front un linge humide et frais qui exhalait une subtile odeur de plantes. Maeve se tenait devant lui, une tasse à la main.

— Buvez ça.

— Qu'est-ce que c'est ? marmonna-t-il, après en avoir bu une gorgée.

— Tisane de lavande.

Parce que Maeve l'avait préparée, il porta de nouveau la tasse à ses lèvres et en but la moitié, bien que le goût lui parût pour le moins curieux.

— Revenez vite.

Elle lui fit un sourire resplendissant et, du bout des doigts, ferma ses paupières en chuchotant :

— Tâchez de dormir.

**

Maeve priait pour qu'il n'y eût pas de radar sur l'autoroute ce soir-là parce que, à l'allure où elle conduisait, elle risquait une contravention. Elle n'avait aucune idée de ce que la nuit lui réservait, mais, pour une fois, elle ne s'attarda pas à analyser la situation.

Art n'était pas à la maison quand elle arriva. Sans doute était-il allé au pub avec des collègues. Tant mieux, se dit-elle en entrant dans la cabine de douche. Elle ne tenait pas à devoir expliquer pour quelle raison elle passait la soirée avec Will.

Lorsqu'elle ouvrit les portes de son armoire, sa longue robe de mousseline glissa du cintre sur lequel elle était suspendue et flotta jusqu'à ses pieds comme un oiseau blanc. Voyant là un signe du destin, elle l'enfila.

Cependant, tout en passant à ses oreilles de ravissantes créoles, elle essayait de se convaincre qu'il ne s'agissait pas d'une occasion spéciale. Il l'avait invitée à dîner comme il l'eût proposé à une amie. Du reste, il était toujours fiancé à Ida, même si Maeve était maintenant persuadée que le mariage ne se ferait pas.

Durant le trajet qui la ramenait à Sorrento, Maeve se sentit gagnée par une impatience de jeune fille. Will, qu'elle trouva dans le patio, occupé à allumer le barbecue, l'accueillit d'un sourire si heureux qu'elle devina que la soirée revêtait pour lui aussi une signification particulière.

— Comment va votre tête ? demanda-t-elle, soudain légèrement intimidée.

— Je ne sais pas ce que vous avez mis dans cette potion, mais ma migraine a complètement disparu, répondit-il en lui tendant un verre de vin blanc.

— J'ai une longue expérience, expliqua-t-elle, Graham souffrait de migraines chroniques.

— A propos, quand par tez-vous pour les Fidji ? demanda-t-il d'un ton faussement désinvolte.

Elle approcha le verre de son nez pour en respirer le bouquet. Will avait choisi un vin de qualité pour l'occasion, c'est-à-dire pour l'anniversaire d'Ida. Elle devait s'en souvenir. Toutefois, cette pensée ne parvint pas à briser la magie de l'instant.

— Je ne pars pas, répondit-elle.

— Vous disiez pourtant qu'il avait changé.

— Oui. Mais ce n'est pas suffisant, ajouta-t-elle en le regardant dans les yeux.

— A quoi dois-je lever mon verre ? demanda-t-il, joignant le geste à la parole.

A l'avenir ? Aux songes ? Aux sentiments qu'elle ne pouvait plus dissimuler qu'au prix d'une vigilance constante ? Les rêves les plus fous semblaient à portée de la main en cette étrange nuit.

— A la Reine de la Nuit, finit-elle par dire.

— A la Reine de la Nuit, répéta-t-il en écho.

— Je voulais vous remercier encore pour le panneau solaire, dit-elle après avoir bu un peu de vin. Une production en série d'un tel produit doperait vos ventes. Y avez-vous songé ?

— Je ne crois pas qu'il y ait un marché très important pour le thermorégulateur, mais le panneau constitue une possibilité intéressante, en effet ; cela exigerait cependant davantage de recherche. J'ai cru comprendre, ajouta-t-il après une pause, que vous n'étiez pas ravie que votre père soit revenu nous soutenir. Mais vous devez savoir que je lui en suis extrêmement reconnaissant, et je compte bien m'acquitter de ma dette envers lui quand tout ça sera fini.

Maeve acquiesça sans mot dire.

— Art m'a fait une suggestion, reprit-il. Proposer aux employés de racheter la compagnie pour éviter la délocalisation.

— Est-ce envisageable ? questionna-t-elle tout en se souvenant que c'était elle qui avait parlé de cette solution à son père, au tout début de la crise.

— Oui, admit-il. Seulement, je perdrais probablement le contrôle de la recherche et du développement et certainement le pouvoir de décision.

— Cela ne vaudrait-il pas mieux néanmoins que d'expatrier la production ? Il me semble que maîtriser son existence, c'est avant tout décider de ses choix. Est-ce qu'Ida connaît cet aspect dominateur de votre personnalité ?

— Malheureusement pour elle, oui.

L'irruption d'Ida dans la conversation fit planer une ombre sur eux. Maeve éprouva tout à coup une intense culpabilité.

— Vous croyez qu'elle m'en voudrait de ma présence ici ce soir ?

— Je suppose que non. Elle s'est décommandée, n'est-ce pas ? répondit-il en l'observant attentivement. Allons, il est temps de nous occuper de nos gambas, reprit-il, coupant court à ses spéculations muettes.

Maeve dressa la table dans le patio et alluma une demi-douzaine de bougies parfumées à la citronnelle, tandis que Will s'affairait à côté du barbecue. Puis ils se régalèrent de gambas grillées et de salade, accompagnées du reste de la bouteille de vin, et terminèrent leur dîner par une compote de fraises fraîches et des chocolats.

— Vous savez comment gagner le cœur d'une femme, dit Maeve en savourant un dernier chocolat. Ida ne sait pas ce qu'elle perd.

Will se pencha vers elle et étendit le bras pour lui prendre la main.

— Pourrions-nous éviter de parler d'Ida, juste ce soir ?

— D'accord.

A cet instant, Maeve se souciait peu de ne plus jamais entendre parler d'Ida. Elle retourna sa main afin de sentir la paume de Will contre la sienne, mais la retira avant que leurs doigts ne s'entrelacent. Après avoir évité si long-temps le contact le plus ténu, les choses allaient trop vite.

— Allons voir si les fleurs sont écloses.

La rocaille baignait dans la lumière dorée du couchant et, malgré l'heure tardive, la chaleur de la journée persis-tait. Les plantes avaient proliféré et, parmi elles, le *Sele-nicereus grandiflorus* déployait ses majestueux bran-chages et portait, ici et là, des boutons de la taille d'une petite mangue.

— Regardez, s'exclama Maeve, tout excitée.

Le bouton qu'elle avait examiné un peu plus tôt avait défroissé ses pétales éclatants, d'un blanc pur, seulement rehaussés d'or à leur base.

— Je ne sens rien, remarqua-t-il en se penchant sur la fleur.

— Soyez patient. Dans une demi-heure, la rocaille ne sera plus qu'une masse de fleurs.

— Allons admirer le coucher du soleil en attendant, dit-il en glissant sa main dans la sienne.

Elle se laissa emmener. Le gazon était doux sous ses pieds, la brise s'amusait dans sa robe légère, mêlant son souffle marin aux fragrances végétales. Et Will la tenait par la main. Muets, ils s'avancèrent jusqu'au bord de la falaise. Les dernières lueurs du jour zébraient l'horizon mauve de rayons pourpres. Les feux des bateaux scintil-laient sur la mer étale et sombre tandis que, lentement, s'élevait le disque d'or parfait de la lune.

Will inclina sa tête vers Maeve.

— J'aime votre odeur. Vous ne sentez ni le sham-pooing, ni le parfum, c'est étrange..., dit-il à voix basse en enfouissant son visage dans le cou de Maeve.

— Je n'utilise pas de produits trop odorants, expliqua-t-elle en posant une main sur son torse, mais sans le repousser.

— Croyez-vous que les gens font des choses qu'ils ne feraient pas d'habitude, les nuits de pleine lune ?

Tout en jouant avec une boucle de ses cheveux, il avait un air fougueux de petit garçon qui lui fit battre le cœur.

— Quel genre de choses ?

— Je ne sais pas... hurler à la lune, par exemple, ou se jeter du haut de la falaise.

— Pour se rompre le cou ?

— Je croyais que vous étiez romantique, la taquina-t-il avant de passer les bras derrière son dos et de l'attirer à lui. Où que mon regard se pose dans ce jardin, c'est vous que je vois.

— Vous dites des bêtises, ce jardin est supposé être votre reflet, corrigea-t-elle en se dégageant de son étreinte.

Elle s'éloigna de quelques pas et il lui emboîta le pas.

— Nous sommes de la même espèce.

— Mon Dieu, j'espère bien que non ! s'exclama-t-elle en riant.

— Maeve, je parle sérieusement.

Elle s'arrêta, alertée par le ton de sa voix. Puis, l'ayant observé, elle hésita et mit la main sur son bras avant d'avouer :

— Je sais ce que vous voulez dire. Je ressens la même chose.

De nouveau il l'attira à lui et murmura à quelques centimètres de ses lèvres :

— J'aimerais que vous me montriez encore une fois comment fonctionne le tourniquet.

— Il est à l'autre bout du jardin, remarqua-t-elle.

— C'est vrai, reconnut-il en effleurant sa bouche. Qui court le plus vite ?

222

Mais le désir eut raison du jeu. L'haleine chaude et épicée de Will affola Maeve. Elle entrouvrit les lèvres et il s'en empara aussitôt, doucement, tendrement d'abord, puis son baiser se fit plus profond, plus exigeant. Elle se sentit défaillir tant elle avait rêvé de cet instant... son cœur et son corps s'embrasèrent tout à la fois.

— N'est-on pas censé entendre les cloches sonner? murmura-t-il contre ses lèvres.

La remarque lui fit l'effet d'une douche froide. Elle s'écarta brusquement de Will et le dévisagea.

— Will, va-t-il y avoir un mariage?

— Je ne sais pas, répondit-il en baissant la tête.

— Il faut que nous parlions d'Ida.

— Tu sais ce qui me chagrine le plus? dit-il en la tutoyant spontanément. C'est le fait que notre amitié soit tombée en miettes. Ida m'avait toujours confié ses soucis, mais depuis que nous sommes fiancés, elle semble ne plus avoir confiance en moi. Elle ne m'a même pas dit que Rick était de retour en ville, comme si elle craignait ma réaction. Jamais elle ne s'en serait préoccupée auparavant.

— Will, si perdre son amitié te blesse davantage que le fait qu'elle sorte avec un autre, il ne fait aucun doute que tu ne dois pas l'épouser.

— Elle pourrait être en train de faire l'amour avec lui, cela ne me toucherait pas. Au contraire, je crois que j'en serais heureux pour elle.

— Es-tu vraiment sûr de vouloir un tel mariage?

— Non, dit-il en soupirant. Mais j'ai fait la promesse à ma mère de ne jamais faire de mal à Ida.

— Il me semble que c'est plutôt elle qui te fait du mal pour le moment.

— Je ne parviens pas à comprendre pourquoi elle ne m'a pas appelé.

— Elle n'arrive pas à prendre une décision parce qu'elle craint de voir tous ses espoirs s'évanouir.

— Peut-être, concéda-t-il. Mais la grossesse l'a changée. Elle est devenue farouchement protectrice vis-à-vis de ce bébé, alors que ses revenus lui permettent largement d'assumer son éducation.

— Bien sûr, c'est tout naturel, se récria-t-elle. La pire chose au monde qui puisse arriver à une mère est de perdre son enfant...

Elle s'interrompit, refusant de poursuivre sur ce sujet.

Ignorant le regard inquisiteur que Will lui lançait, elle prit le temps de choisir soigneusement ses mots. Elle ne voulait pas qu'il pense que son intérêt personnel commandait ses propos.

— Le mariage ne peut pas se limiter à des considérations d'ordre matériel, reprit-elle. Sans doute pourriez-vous être raisonnablement heureux en vous engageant dans une vie commune qui serait une sorte de partenariat platonique, mais vous vous priveriez tous les deux de la plus belle expérience de la vie.

Will la regardait, les yeux écarquillés.

— L'amour, dit-elle, exaspérée. Je parle de l'amour.

— Je ne sais pas ce que ce mot signifie, dit-il d'un air abattu.

— Mais si, tu le sais, affirma-t-elle en souriant devant tant d'innocence. Tu ne le reconnais pas quand il est là, c'est tout.

Elle était certaine qu'il l'aimait et elle entendait bien le lui faire découvrir. Non pas avec des mots, mais en lui offrant une vision rare et précieuse.

— Viens, je vais te montrer, dit-elle en accompagnant son invitation d'une petite caresse sur sa joue.

\*\*

La lune avait perdu sa rousseur du soir et brillait maintenant d'un éclat argenté qui découpait à l'encre noire la silhouette du vieil eucalyptus sur l'herbe pâle.

Will se laissa conduire à travers le jardin jusqu'à la rocaille. En quelques heures, le *Selenicereus* s'était métamorphosé en un massif neigeux duquel émanaient de riches effluves de vanille. Tous les boutons étaient éclos et, au clair de lune, les corolles blanches largement épanouies chatoyaient de reflets phosphorescents qu'éclaboussait le bleu des lobélias et des myosotis jaillis d'entre les pierres. Si la magie faisait partie de ce monde, elle était là, ce soir, dans son jardin.

Et c'est Maeve qui l'avait fait naître.

Will retint son souffle quand Maeve se mit à déboutonner lentement sa chemise et glissa ses mains sur sa poitrine. Puis elle l'embrassa avec fougue.

— Je t'ai tellement désirée, murmura-t-il en cherchant ses seins sous sa robe. J'ai tellement rêvé de toi. Est-ce que tu me désires ?

Il avait tant besoin de le lui entendre dire.

— Chaque jour, chaque minute, répondit-elle en embrassant son cou.

Il se libéra un bref instant, alla chercher les deux serviettes de bain qu'il avait laissées sur la chaise longue, et les étendit sur l'herbe épaisse. Quand il se retourna, Maeve était en train de défaire le premier bouton de perle qui protégeait sa gorge. Tremblant de désir, il la regarda les détacher un à un, apercevant au détour d'un mouvement les rondeurs blanches de ses seins. Enfin, d'un geste lent, elle écarta ses bretelles et laissa glisser la mousseline vaporeuse à ses pieds.

Maeve était nue. Mince et athlétique à la fois. Sa peau satinée luisait sous la lune. Ses longs cheveux noirs cascadaient jusqu'à sa taille fine dissimulant à demi des seins hauts et remplis. Elle semblait appartenir au lieu, être le point d'orgue de sa propre création. Elle était la nymphe des bois dont l'âme avait pénétré chacune des plantes, la terre même du jardin créé pour lui. Elle le connaissait mieux que personne, elle avait su lire en lui ce que ni Ida, ni Paul, ni même sa propre mère n'avaient pu deviner. Jamais il n'avait ressenti cette passion dévorante. Aussi vite que le lui permit l'affolement de son désir, il se débarrassa de ses vêtements et la prit dans ses bras. Leurs deux corps entremêlés roulèrent ensemble sur l'herbe. Et sous le visage bienveillant de la lune, il fit l'amour comme si c'était la première fois de sa vie.

Quand enfin ils reposèrent l'un contre l'autre, apaisés, la lune s'élevait au-dessus de la cime de l'eucalyptus. L'air était aussi doux qu'à la fin de l'après-midi.

— C'était magique, souffla-t-il.

— C'était l'amour.

— Quoi que ce soit, dit-il en la serrant un peu plus fort contre lui, je ne pourrai pas l'oublier, ni le sacrifier à une amitié. Maeve...

— Viens, allons nager, proposa-t-elle avant qu'il n'eût achevé sa phrase.

— D'accord.

Will fit un crochet par le tableau de commandes de la piscine et, soudain, des jets d'eau jaillirent de douze fontaines miniatures, animant le bassin de vaguelettes et d'éclaboussures. Puis il entra dans l'eau qui se referma sur lui comme une étoffe de soie et crawla pour rejoindre Maeve. Au moment où il allait attraper sa cheville, elle replia ses membres pour plonger vers le fond. Il plongea à son tour, mais seulement pour la voir s'enfuir sous l'eau.

Il la poursuivit ainsi quelques minutes, jouant à la manquer, prenant plaisir à la tension qui montait de nouveau en lui, puis il la surprit alors qu'elle venait de parcourir toute une longueur. Ils firent surface, riant et haletant. Elle était plus belle encore, les cheveux mouillés, les yeux remplis d'une nouvelle excitation. L'eau léchait les collines de ses seins qui semblaient flotter à la surface, tendres et tentateurs. Il lui encercla la taille et l'attira à lui.

— Je t'ai eue, se félicita-t-il avant de l'entraîner sous l'eau et de rejaillir à l'air libre en éclatant de rire.

Puis il relâcha son étreinte et fit la planche, sa main dans celle de Maeve. La lune énorme semblait veiller sur eux. Le chantonnement des fontaines résonnait comme une symphonie à ses oreilles et le parfum suave du *Selenicereus* l'enivrait. Il ne s'était jamais senti plus heureux, ni plus vivant qu'à ce moment.

— La lune nous observe, commenta Maeve.

— J'espère qu'elle aime ce qu'elle voit.

Toujours sur le dos, il se rapprocha de Maeve afin de sentir son épaule et sa hanche à son côté. Ses longs cheveux de jais venaient lui caresser le visage. Il éprouvait une telle sensation de bien-être auprès d'elle et, en même temps, vibrait au moindre frôlement, à chaque regard. A l'arrière-plan de son esprit se dessinait l'image de leurs futurs enfants : une petite fille aux tresses noires et un petit garçon qui jouaient ensemble dans la terre comme seuls les enfants savent le faire.

— Maeve ? dit-il, rêveur. As-tu déjà songé à te remarier ?

Il y eut un silence. Puis elle marmonna :

— Je crois que je commence à avoir froid.

Elle dégagea son bras, s'éloigna à la nage et disparut. Où était-elle passée ?

Soudain, il se sentit propulsé hors de l'eau et retomba aussitôt dans un grand splash. Maeve émergea derrière lui, ravie de son tour. Il voulut l'attraper, mais elle avait été plus rapide que lui. Déjà elle sortait du bassin, dégoulinante, et il n'eut que le temps d'apercevoir sa nudité se dissimuler sous une serviette de bain.

N'obéissant qu'à son instinct, Will bondit hors de l'eau et, sans prendre la peine de s'essuyer, souleva Maeve dans les airs, la fit tournoyer dans une valse folle, puis la déposa tendrement sur l'herbe où il lui fit de nouveau l'amour. Le parfum capiteux de vanille se mêlait à celui de leur passion et il sut qu'ils resteraient ainsi à jamais liés dans son esprit et lui rappelleraient toujours cette nuit magique où un sentiment rare et précieux était né au clair de lune.

Longtemps, ils restèrent étendus dans la nuit, silencieux et émus.

Quand les corolles blanches se furent refermées, que la lune eut décliné jusqu'à disparaître derrière le figuier, Will emmena Maeve dans sa chambre. Là, quelques minutes plus tard, il chuchota :

— Maeve, veux-tu m'épouser ?

Mais la seule réponse qu'il obtint fut sa respiration calme et régulière.

— Tant pis, dit-il pour lui-même en remontant les draps pour la couvrir, je te le demanderai demain matin.

# 13.

Si le clair de lune avait habité les rêves de Maeve cette nuit-là, ce fut un rayon de soleil qui la tira du sommeil. Will reposait à son côté, couché à plat ventre, la tête enfouie dans son oreiller. Une émotion violente l'étreignit au souvenir de la nuit de passion qu'elle venait de vivre. Des heures magiques. Délibérément, elle repoussa le moment où il faudrait penser à l'avenir.

— Bonjour, chuchota-t-elle en passant un doigt léger le long de la colonne vertébrale de Will.

Sans ouvrir les yeux, il roula paresseusement sur le côté et ouvrit ses bras afin qu'elle vienne s'y blottir. Elle lova son corps contre lui, sa poitrine collée à la sienne, leurs jambes entremêlées. Un même silence les berçait. Maeve, immobile, se prenait à souhaiter que cet instant ne finisse jamais...

Cependant, presque à son insu, son sang s'était mis à courir dans ses veines, sa peau frissonnait, et, incapable de résister à cette faim qu'elle avait de lui, elle pressa la pointe de ses seins durcis contre lui. Will n'eut pas besoin d'autres encouragements. Il resserra son étreinte, l'enveloppa de sa tendresse et bientôt tous deux s'abandonnèrent avec volupté à la force impérieuse de leur désir.

— Tu es réveillé maintenant ? demanda-t-elle en s'appuyant sur son torse au milieu du lit en désordre.

— Maeve, tu es merveilleuse.

Elle se crispa. Le moment approchait où elle allait devoir renoncer à lui. Alors qu'elle l'avait eu à elle si peu de temps.

— Tu sais, j'étais en train de penser que nous pourrions t'installer une serre derrière la haie...

— Arrête, Will.

Elle roula sur le côté. Rien, pas même l'amour, ne le ferait renoncer à son désir d'enfants. Elle en était aussi sûre que de ses propres sentiments à son égard. Et ce besoin qu'il avait de fonder une famille ne le rendait que plus cher à son cœur.

— J'ai des engagements pour le moment, mais je compte bien redevenir un homme libre.

— Il faut que tu saches quelque chose, se décida-t-elle à dire en le regardant dans les yeux. Tu n'envisageras pas la situation de la même façon ensuite.

— Rien ne saurait me faire changer d'avis après cette nuit, assura-t-il en lissant d'un geste tendre une mèche de ses longs cheveux noirs derrière son oreille. Dis que tu m'épouseras.

— Oh, Will.

Elle aurait pu s'effondrer en larmes devant son visage confiant. Comment avait-elle pu s'autoriser à lui faire prendre conscience de l'amour qu'il lui portait, seulement pour le briser en quelques mots un moment plus tard ?

— Qu'y a-t-il ? Tu te fais toujours du souci à propos d'Ida ?

— Non. Enfin si, bien sûr, je suis inquiète pour elle, mais je pense sincèrement qu'à long terme, elle se félicitera de ne pas t'avoir épousé.

— Merci beaucoup ! s'exclama-t-il en souriant.

— Tu sais ce que je veux dire, riposta-t-elle en lui donnant une bourrade dans les côtes.

Will se prit au jeu et, de bourrades affectueuses en tendres assauts, se trouva bientôt maître de la bataille, couché sur elle et emprisonnant sa tête dans ses deux mains.

— Je me rends ! gloussa-t-elle, vaincue.

L'ayant embrassée, il se redressa et, sans toutefois libérer ses poignets, planta ses yeux dans les siens.

— Maintenant, répète : « Will, je veux t'épouser. »

— Je t'aime, articula-t-elle, accablée de n'être pas en mesure de lui offrir davantage.

— Alors, quel est le problème ? demanda-t-il d'un ton grave.

— Je ne veux pas d'enfants.

Relâchant ses poignets, il s'écarta légèrement d'elle.

— Je ne comprends pas.

— J'ai eu un enfant, dit-elle en détournant le visage afin qu'il ne pût lire son chagrin. Une petite fille qui s'appelait Kristy.

Incapable de poursuivre, elle s'interrompit. Will l'attira de nouveau à lui, l'enveloppa de ses bras, serrant étroitement son corps, comme s'il avait voulu nier le fait que quelque chose pût les séparer. Si seulement, dans ses bras, elle avait pu oublier...

— Continue, murmura-t-il.

— C'était une enfant magnifique, gaie, intelligente, balbutia-t-elle. Elle était si pleine de vie, et tellement affectueuse. Elle se blottissait contre moi, fourrait son nez dans mon cou et m'embrassait, poursuivit-elle les larmes aux yeux. Je l'aimais plus que tout au monde.

— Que lui est-il arrivé ? demanda-t-il doucement, d'une voix qui redoutait le pire.

— Un matin, je suis entrée dans sa chambre ; il était

231

plus de 8 heures, elle se réveillait un peu plus tôt d'ordinaire, mais je n'étais pas inquiète. Je n'avais aucune raison de craindre quoi que ce soit, elle était parfaitement bien la veille, même pas un simple rhume. Je l'ai regardée, continua-t-elle après un temps d'arrêt, et, d'abord, je n'ai pas compris pourquoi elle était si tranquille. Puis, je me suis rendu compte qu'elle ne respirait pas. Je l'ai prise dans mes bras. Elle était... toute froide, morte.

Maeve sentit le choc qu'éprouvait Will.

— Maeve, Maeve, répéta-t-il plusieurs fois en resserrant son étreinte.

— C'est le syndrome de la mort subite, expliqua-t-elle dans un souffle. Elle est morte dans son sommeil. Oh, Will, quand je l'ai trouvée, elle était bleue.

A bout de forces, elle éclata en sanglots. Pendant de longues minutes, Will la tint contre lui, la berçant comme une enfant, jusqu'à ce qu'elle finisse par s'apaiser. Elle resta étendue, accablée d'un sentiment de vide que rien ni personne ne comblerait jamais.

Avec une infinie tendresse, Will embrassa ses yeux gonflés.

— Est-ce que tu ne peux plus avoir d'enfants ?

Il ne comprenait pas. Sa voix semblait trop calme.

— Physiquement, rien ne s'y oppose.

Le silence était devenu lourd. Elle pouvait presque entendre les pièces du puzzle se mettre en place dans sa tête. Finalement, il reprit d'un ton empreint de perplexité :

— J'avais cru comprendre que c'était Graham qui n'avait pas voulu d'enfants.

— Il aurait souhaité que nous ayons un autre bébé aussitôt après... mais je ne m'en sentais pas capable. Et aujourd'hui non plus.

— Maeve, implora-t-il, tu ne peux pas te faire ça. Je

232

suis bouleversé à propos de Kristy, mais tu dois continuer à vivre.

— Je n'aurais pas dû faire l'amour avec toi, dit-elle alors en se forçant à le regarder en face, car je savais que cela finirait de cette manière. Mais je te désirais tant. Je me suis montrée affreusement égoïste. Je regrette.

— Tu regrettes ? répéta-t-il en laissant échapper un pauvre rire.

— Will, dit-elle, désespérée. Plus que tout au monde, je désirerais t'épouser. Mais tu veux une famille et je ne veux pas être une entrave à ton bonheur.

De nouveau, il s'empara de son poignet, mais sans la moindre douceur cette fois.

— Tu m'as convaincu que je ne devais pas épouser Ida. Tu m'as fait l'amour avec passion, bouleversé au point que j'en ai presque oublié mon nom. Et maintenant, tu vas tout bonnement t'en aller comme si de rien n'était ! Et c'est ainsi que tu prétends veiller sur mon bonheur ?

— Je suis désolée, Will, bredouilla-t-elle, pitoyable.

— Et toi ? continua-t-il. Pourras-tu jamais être heureuse après ce que nous avons vécu cette nuit ? Un autre enfant te guérirait peut-être. Dieu sait que ne pas en avoir n'a pas suffi à mettre un terme à ta souffrance.

— Je ferais mieux d'y aller, gémit-elle en se glissant hors du lit.

Retenant ses larmes, elle saisit une petite chemise de dentelle fine tout en parcourant la chambre des yeux.

— Inutile de chercher ton soutien-gorge, dit-il en enfilant un peignoir, tu n'en portais pas.

Elle rencontra son regard, et, l'espace d'un instant, tous deux furent ramenés en arrière, au moment où, la veille au soir, était éclos leur amour tout neuf, plein de splendeur et de promesses. L'illusion ne dura que quelques secondes. Très vite, les yeux de Will redevinrent froids et Maeve mit sa robe.

Plus tard, elle verserait les larmes qui lui brûlaient les yeux. Pour le moment, elle devait partir. Fuir avant de se laisser aller à le supplier de la prendre avec ou sans enfants.

C'est alors qu'elle se rendit compte qu'elle avait inconsciemment souhaité qu'il la retienne malgré son aveu. Avec quelle inconséquence elle s'était conduite ! Il avait tous les droits de la mépriser : elle avait ruiné leurs deux vies.

— Au revoir, dit-elle à la porte.

Il se détourna sans répondre.

Le cœur brisé, elle chancela jusqu'au palier, retenant à grand-peine les sanglots qui nouaient sa gorge. Puis elle dévala l'escalier et quitta sa vie.

Lorsque la porte se referma, Will sortit de son engourdissement pour entrer dans une violente colère.

Maudite soit cette femme qui venait de trouver son cœur, s'en était emparée pour mieux le mettre en pièces ensuite ! Il serra les poings et ferma les yeux, retenant des larmes de rage, puis il parcourut la pièce du regard à la recherche de quelque chose qu'il pourrait casser, comme elle l'avait brisé, lui.

Au lieu de quoi, il prit une douche brûlante sous laquelle il se frotta le corps avec une énergie désespérée. Sans doute réussirait-il à faire disparaître toute trace de l'odeur de Maeve, mais il n'en irait pas aussi facilement de son souvenir. Et rien ne semblait pouvoir venir à bout des sentiments qu'elle avait éveillés en lui.

Il avait l'impression d'avoir été utilisé et jeté à l'écart sans ménagement, comme ces serviettes humides qu'il ramassa plus tard au bord de la piscine. Les fleurs du *Selenicereus* elles-mêmes pendaient lamentablement, fripées et jaunâtres. Leur spectaculaire épanouissement n'avait été qu'une vaine et présomptueuse manifestation de la nature. Tout semblait à présent dénué de sens. Le soleil éclatant se moquait de son désarroi, le ramage enjoué des pies offensait ses sombres pensées. Cependant, tout au fond de lui, au-delà de son propre chagrin, son cœur souffrait pour Maeve et la petite fille qu'elle avait perdue.

Impitoyablement, il refoula cette émotion. Il n'avait pas besoin d'elle. Et si Ida voulait encore de lui, tant mieux. Sinon, il réintégrerait sa tanière et serait heureux tout seul !

Il songea un moment à aller surfer, mais, pour une fois, l'idée ne lui plut pas. Sur l'eau, il avait tendance à beaucoup trop réfléchir et il voulait à tout prix éviter de penser à Maeve.

C'est dans cet état d'esprit qu'il retourna à l'intérieur et appela Ida chez elle. Il ne pensait guère qu'elle fût à la maison à cette heure de la journée, toutefois il laissa retentir la sonnerie treize fois avant de raccrocher. Soit, il réglerait cette question plus tard !

De toute façon, pour le moment, il avait surtout besoin d'action. De quelque chose qui le distraie de ses tourments. Sans plus tergiverser, il saisit le combiné et composa le numéro de Paul.

— Paul ?... Oui, bonjour. Ecoute, quand pourrais-tu être prêt pour aller voir cette usine à Jakarta ? Demain ? Epatant. Je passe te prendre en partant à l'aéroport.

Le lundi matin, Maeve se rendit à Mornington dans l'intention de rencontrer Ida. Car même si elle ne voulait pas jouer un rôle particulier dans l'avenir de Will, elle tenait à savoir de quoi celui-ci serait fait.

La température avait encore grimpé, et elle fut presque contente d'entendre le speaker, à la radio, annoncer des orages pour la fin de journée. Parvenue au centre-ville, elle profitait d'une halte à l'intersection avec la rue principale pour s'éventer avec son chapeau quand, sur la voie qui venait en sens inverse, elle reconnut soudain la Mercedes gris métallisé de Will. Il accéléra alors que le feu virait à l'orange, traversa l'avenue et, tout à sa conduite, passa à sa hauteur sans la voir. Dorénavant, leurs chemins se croiseraient ainsi, sans jamais se rencontrer, ce serait leur punition, songea-t-elle avec amertume.

Lorsqu'elle frappa à la porte entrouverte du bureau d'Ida, celle-ci leva un œil interrogateur puis, ayant reconnu son interlocutrice, adopta une expression de prudente neutralité.

— Que puis-je faire pour vous ?

Maeve entra, referma la porte derrière elle et s'assit dans un des fauteuils qui faisaient face au bureau avant de demander à son tour :

— Comment fut votre soirée d'anniversaire ?

— Très agréable, répondit Ida, affichant un air de défi quelque peu affaibli par le rouge qui lui monta aux joues.

— Will s'est demandé pourquoi vous n'aviez pas jugé bon de l'appeler. Il est très affecté par le fait que vous ne lui parliez plus, continua-t-elle comme Ida haussait les épaules sans répondre.

— Je suppose que vous vous êtes fait un plaisir de le consoler, lança Ida en regardant sa montre avec insistance. Je n'ai pas beaucoup de temps à vous consacrer, j'attends un ami.

Maeve éprouva soudain une pointe de compassion pour la jeune femme ; son attitude trahissait évidemment un mécanisme de défense. N'en laissant rien paraître, elle interrogea :

236

— Rick?

— Oui, admit Ida en soupirant. Qu'est-ce que vous voulez au juste?

— Je veux connaître vos intentions vis-à-vis de Will. Vous l'avez blessé, pas en lui faisant faux bond, mais en le traitant comme si vous n'aviez jamais été amis. Lui avez-vous parlé depuis samedi?

— J'ai passé tout le week-end à Melbourne avec Rick à essayer de débrouiller la situation, répondit Ida en gribouillant distraitement sur un bloc-notes. J'ai voulu appeler Will, mais... Ecoutez, ce ne sont pas vos affaires, dit-elle, tout à coup agressive. A moins que vous ne cherchiez à savoir s'il est disponible?

— J'aimerais seulement qu'il soit heureux. Mais, puisque vous en parlez, reprit-elle, déterminée à percer les projets d'Ida, est-il disponible?

— Non. Oui. Je ne sais pas.

— Il faut que vous l'appeliez, plaida Maeve. Tout de suite. Il a désespérément besoin d'une...

— D'une amie? la coupa Ida. Pourquoi? Que lui avez-vous fait?

— Je... heu... rien.

— Vous avez couché avec lui, c'est ça? s'indigna Ida.

Maeve était désorientée. L'entretien ne se déroulait pas du tout comme elle l'avait prévu.

— Une seule fois. Cela ne se reproduira plus.

— Et pourquoi pas? Il vous aime. Et vous l'aimez, non?

— Je n'aurais pas dû venir, dit Maeve en se levant. Ecoutez, appelez Will et mettez les choses au clair avec lui. Il a besoin de savoir où il en est.

— Parce qu'il n'ira nulle part avec vous, c'est bien ça? Peut-être feriez-vous mieux de vous asseoir et de me raconter ce qui s'est passé.

Obéissant au ton ferme d'Ida, Maeve se rassit.

— Il n'y a pas grand-chose à dire, commença-t-elle à contrecœur. Comme il ne vous attendait plus, samedi soir, Will m'a invitée à dîner. Nous avons passé une soirée merveilleuse. Et maintenant, c'est terminé.

— C'est Will qui en a décidé ainsi ? demanda Ida avec un regard inquisiteur.

— Non.

Ida n'aurait de cesse qu'elle n'ait découvert la vérité. Mieux valait tout lui raconter et en finir au plus vite.

— Je ne veux pas d'enfants, reprit-elle, et ce ne serait pas honnête de ma part de poursuivre cette relation. J'aurai probablement dû lui en parler avant, mais cela m'a paru... présomptueux peut-être. Je vous jure que je ne voulais pas le faire souffrir, ajouta-t-elle en joignant les mains dans un appel à la compréhension d'Ida.

— Pourquoi ne voulez-vous pas d'enfants ?

Allait-elle devoir évoquer de nouveau la fin tragique de Kristy ? Ida posait sur elle un regard insistant qui ne lui laissait guère le choix. Elle expliqua d'une traite :

— J'ai perdu un bébé, il y a cinq ans, du syndrome de la mort subite du nouveau-né.

— Oh ! Je suis désolée, s'exclama Ida en portant instinctivement ses mains à son ventre dans un geste de protection.

— Ça va maintenant, dit Maeve en détournant les yeux car la vue d'Ida lui était soudain intolérable.

— Bien sûr que non, répliqua Ida en faisant promptement le tour du bureau.

Et, oubliant sur-le-champ les paroles acerbes qu'elles venaient d'échanger, elle entoura Maeve de ses bras et l'étreignit avec chaleur. Maeve se mordait les joues de peur d'éclater en sanglots.

Ida s'assit sur ses talons, prit la main de Maeve et, doucement, la posa sur son ventre.

— Vous le sentez bouger?

Maeve aurait voulu retirer sa main de ce ventre rebondi qui portait la vie et lui rappelait douloureusement le bonheur qu'elle ne pouvait se résoudre à offrir à Will. Mais juste à ce moment-là, le bébé donna un petit coup sous sa paume et les souvenirs enfouis de sa propre grossesse refluèrent face aux rêves et aux espoirs qui aujourd'hui illuminaient le visage d'Ida.

— Je vous envie tant, murmura-t-elle.

— Moi? fit Ida, portant machinalement la main à sa cicatrice. Mais vous êtes si belle.

— Toutes les cicatrices ne sont pas visibles, observa Maeve tristement.

— J'appellerai Will, dit alors Ida en se redressant avec précaution, et je serai franche avec lui. Mais, Maeve, il désire une famille et j'ai promis de lui donner des enfants.

— Et Rick? Lui avez-vous avoué que cet enfant était le sien?

— Oui, dit-elle, le visage soudain décomposé. Il accepte de le reconnaître, mais il pense que tout est fini entre nous. Quand vous êtes entrée, j'ai cru... j'espérais que c'était lui qui venait m'annoncer qu'il avait changé d'avis. Il s'envole pour San Diego ce soir, ajouta-t-elle en soupirant.

— Oh, je suis vraiment désolée, Ida.

— Je vais appeler Will tout de suite, reprit Ida en s'approchant du téléphone.

Tout en composant le numéro, elle tira un mouchoir en papier de la boîte posée sur son bureau puis la poussa vers Maeve. La jeune femme se moucha avant de promener son regard autour de la pièce tandis qu'Ida attendait que Will décroche. A côté d'un diplôme dans un cadre il y avait une aquarelle peinte par un artiste local, représentant la plage de Mornington. Des enfants, éclaboussés de soleil, jouaient au bord d'une petite mare, pendant qu'un grand setter roux sautait au-dessus de l'écume, les yeux rivés sur une mouette.

— Quoi! s'exclama Ida. Quand est-il parti?

— Que se passe-t-il? demanda Maeve en se tournant vers elle.

— Will et Paul sont partis tout à l'heure pour l'Indonésie, répondit Ida en reposant le combiné. Ils vont visiter une usine.

— Donc, il va vraiment délocaliser, commenta Maeve en sortant ses clés de sa poche. Je dois m'en aller. Tenez-moi au courant pour le mariage, se força-t-elle à ajouter. Le jardin est prêt, mais nous aurons besoin d'un ou deux jours pour apporter et disposer les plantes en pots. En fait, je vais m'absenter quelques jours, c'est mon assistant qui veillera aux derniers préparatifs.

— Maeve..., commença Ida.

Elle s'interrompit, mais ses yeux imploraient la compréhension et le pardon.

— Prenez soin de vous et du bébé, dit simplement Maeve en lui serrant la main.

— Merci. Je veillerai aussi sur Will.

En sortant, Maeve jeta un coup d'œil au ciel désormais menaçant. Des cumulus gris sombre s'étaient amoncelés sur la baie, et l'atmosphère chargée d'électricité semblait refléter sa tension intérieure. Elle rejoignit sa voiture à pas pressés et ne fut pas plus tôt engagée dans Mornington Road qu'un éclair zébra l'horizon tandis que de grosses gouttes de pluie venaient s'écraser sur son pare-brise.

*⁎*

240

Le taxi de Will et Paul progressait lentement à travers le centre-ville haut en couleur de Jakarta. Will, le nez à la vitre, observait les avenues grouillantes de monde, les centaines de cyclistes au coude à coude, les ouvriers vêtus de sarongs qui travaillaient au milieu d'intersections embouteillées, plongées dans l'ombre des hauts immeubles.

— Alors, qu'est-ce que tu en dis ? demanda Paul d'un ton enthousiaste. Imagine un peu Aussie Electronique dans cet environnement tropical.

— Je me demande dans quelle mesure je pourrai conserver notre enseigne.

— Qu'est-ce qu'un nom ? rétorqua Paul en haussant les épaules. Quand tu auras visité l'usine, tu verras les choses sous un autre jour. D'après nos renseignements, les équipements semblent correspondre exactement à nos besoins.

Les bâtiments désaffectés qu'ils étaient venus évaluer se situaient dans une zone industrielle à la périphérie de la ville, entre une fabrique de chaussures américaine et une manufacture de matériel de bureau allemande. Le taxi les déposa devant le portail principal où ils furent accueillis par un employé indonésien qui travaillait pour le compte du propriétaire britannique.

— Bonjour, messieurs, dit l'homme en uniforme gris en les saluant avec courtoisie. Très heureux de vous rencontrer.

M. Wayanamundra conduisit la visite des ateliers, en leur affirmant que le gouvernement indonésien accélérerait au maximum les démarches administratives nécessaires à leur installation.

— Le niveau des salaires et le taux peu élevé des taxes sont, bien entendu, très attractifs pour les investisseurs étrangers, se félicita M. Wayanamundra de sa voix bien posée.

Paul lança à Will un regard qui disait clairement : « Qu'est-ce que je t'avais dit ? »

— Ces locaux correspondent en tout point à vos besoins, poursuivit l'employé. Le précédent occupant fabriquait des jouets électroniques. Et, en ce qui concerne le matériel de bureau, vous n'aurez pas à chercher bien loin, ajouta-t-il en souriant.

Will ne trouva rien à redire. L'usine répondait parfaitement à ses attentes et était suffisamment vaste pour permettre un développement ultérieur de la production.

Cependant, comme ils quittaient les bâtiments, Will se retourna et essaya de se représenter la raison sociale de sa société peinte en larges lettres sur la façade. Curieusement, il n'y parvint pas. Ayant joint ses remerciements à ceux de Paul, il grimpa dans le taxi qui devait les ramener à leur hôtel et s'absorba dans un profond silence.

— Alors, qu'en penses-tu ? demanda Paul pour la troisième fois quand ils se furent installés dans leur chambre.

— J'ai faim. Sortons dîner.

Son attitude pour le moins réservée décevait Paul, Will en était conscient, mais, jusqu'ici, le voyage censé apporter des réponses à ses derniers doutes ne l'avait rendu que plus circonspect. Et en dépit de son intense réflexion, il n'avait pas réussi à mettre le doigt sur ce qui le chiffonnait.


Le lendemain matin, Will et Paul rencontrèrent les fonctionnaires du gouvernement et les principaux dirigeants du commerce indonésien. Tandis que Paul négociait les conditions du contrat, Will se remémora ce que Maeve avait dit à propos des choix auxquels chacun était confronté dans sa vie, expliquant que la vraie liberté résidait dans ces décisions, si difficiles soient-elles. Mais quel choix s'offrait à lui ? Délocaliser ou vendre. Jamais il ne s'était senti à ce point dépossédé de son libre arbitre.

— N'est-ce pas, Will ? dit soudain Paul, interrompant le cours de ses pensées. Une pause-café sera la bienvenue.

Paul quêtait son approbation avec un haussement de sourcils insistant.

— Euh... bien sûr, répondit-il enfin, soulagé de s'apercevoir qu'il avait seulement accepté une inoffensive tasse de café, placée devant lui par une secrétaire cérémonieuse.

Malgré les appels muets de son comptable pour qu'il prenne part à la discussion, Will retourna à son monologue intérieur. La solution était là, tapie dans l'ombre, à la lisière de son entendement, et son esprit ne s'apaiserait que lorsqu'il l'aurait trouvée.

Quel que soit l'angle sous lequel on envisageait la situation, on aboutissait aux mêmes conséquences désastreuses : licenciements, échec, perte de contrôle. Il aspira une longue gorgée de café, fort et amer, et soupira. Il avait beau tourner le problème dans tous les sens, quelque chose manquait.

La jeune femme qui avait servi le café lui présenta un plateau chargé de friandises. Il en prit une et, ayant remarqué son collier constitué d'une suite de lettres dorées, la remercia par ce qu'il supposait être son nom.

— Merci, Made.

Elle sourit et, visiblement sensible à cette marque d'attention, prononça quelques mots en indonésien tout en inclinant la tête plusieurs fois. Il lui rendit son sourire, subitement rasséréné par ce fugitif contact personnel.

Voilà ce qui le dérangeait dans cette affaire : l'absence de contact humain. Les Indonésiens qu'il emploierait à Jakarta ne seraient rien de plus que des ouvriers sans visage ; et lui ne serait à leurs yeux qu'un investisseur étranger uniquement soucieux de sa production. Pourtant, chacun de ces employés aurait sa propre vie, avec ses aspirations et ses problèmes, tout comme Renée, Art et les autres. Seulement, il ne les connaîtrait pas. Jamais il n'aurait l'occasion de les féliciter au sujet du diplôme de leur fils, de se désoler avec eux de la défaite de l'équipe locale de football, ou de boire une bière en leur compagnie au barbecue de Noël.

La clé du problème tenait dans la réponse à cette question : était-il prêt à renoncer aux contacts humains ?

— Will ? fit Paul en le regardant d'un air étrange.

Will se rendit compte qu'il s'était levé. Il embrassa du regard l'ensemble des représentants du commerce indonésien et, pour la première fois, prit la parole :

— Messieurs, je tiens à vous remercier de nous avoir consacré votre attention et votre temps. Je viens de prendre ma décision. Aussie Electronique restera en Australie, annonça-t-il à l'assemblée médusée.

# 14.

Will, concentré sur sa conduite, essayait de ne pas perdre de vue les feux arrière de la voiture qui le précédait. Il avait quitté l'aéroport de Melbourne sous une pluie battante et roulait à présent sous l'orage, avec une visibilité quasi nulle.

La circulation ralentit encore à l'approche des faubourgs de la ville. Les nuages noirs continuaient de déverser des trombes d'eau, les égouts débordaient et, par endroits, inondaient les chaussées. De rares piétons, pliés en deux, s'efforçaient de rejoindre un abri au plus vite. Les bourrasques de vent avaient même déjà déraciné certains arbustes. Aussi, quand enfin il s'engagea, épuisé, dans l'allée de son garage, il poussa un ouf de soulagement.

La maison lui parut froide et humide. Néanmoins, avant même d'allumer la lumière ou de se changer, il se rendit dans son bureau pour écouter ses messages. Maeve n'avait pas donné signe de vie, mais Ida avait appelé trois fois.

Etouffant un soupir, il décrocha le combiné et composa son numéro.

— Ida ? Je viens de rentrer. Comment vas-tu ?

— Will, il faut que nous parlions.

Il n'aspirait qu'à une chose : dormir. Et il aurait voulu avoir le temps de réfléchir avant d'affronter Ida. Mais sa voix lui parut singulièrement tendue, presque désespérée. Il l'imagina tortillant fébrilement le fil du téléphone, le visage crispé.

— Qu'est-ce qui ne va pas ?

— Puis-je passer ?

— Bien sûr.

Si elle était prête à braver l'orage, c'est qu'il devait s'agir de quelque chose de sérieux. Il éclaira les pièces du rez-de-chaussée, monta prendre une douche chaude puis redescendit se préparer des œufs brouillés. Il venait juste d'allumer la cafetière électrique quand la sonnette de la porte d'entrée retentit.

Ida avait mauvaise mine. Elle s'était probablement habillée à la hâte, ses cheveux dégoulinaient et elle ouvrait des yeux hagards.

— Oh, Will, gémit-elle en se jetant dans ses bras.

Il l'enlaça et la guida jusqu'au salon où il la fit asseoir devant le feu qu'il avait allumé pour dissiper l'humidité.

— Ne bouge pas, je vais chercher le café. J'en ai pour un instant.

Il disparut et revint presque aussitôt avec un plateau. Lui ayant offert une tasse, il s'assit dans le canapé en face d'elle.

— Alors ?

— Oh, Will, dit-elle les yeux remplis de larmes, je m'en veux terriblement de ne pas t'avoir appelé le jour de mon anniversaire. Maeve m'a dit combien cela t'avait blessé, je me sens tellement coupable.

Will s'efforça d'ignorer le flot d'émotions qui l'envahit à la mention de Maeve pour se concentrer sur sa relation avec Ida.

— C'est vrai, j'ai été très peiné de voir que tu faisais

si peu de cas de notre amitié. Je m'inquiétais pour toi et cela m'a bouleversé que tu ne te sois pas confiée à moi.

— Notre amitié pourra-t-elle survivre à notre mariage ? murmura-t-elle d'un ton anxieux.

— Je ne sais pas.

— Est-ce que tu aimes Maeve ? demanda-t-elle en levant les yeux vers lui.

C'était la question à laquelle il aurait préféré ne pas répondre, ni à voix haute, ni en son for intérieur. Mais que gagnerait-il à se voiler la face plus longtemps ? Lentement, il acquiesça d'un mouvement du menton.

— Dans ce cas, dit-elle après avoir pris une profonde inspiration, je te dégage de ta promesse. Tu es libre.

Le feu craqua dans le silence qui suivit. On n'entendait plus que le grondement du tonnerre dans le lointain et le ruissellement continu de la pluie sur les vitres. Will tenta d'analyser les sentiments que la déclaration inattendue d'Ida avait éveillés en lui, mais son cœur était la proie d'un tourbillon d'émotions et les pensées se bousculaient dans son esprit.

— Que se passe-t-il entre Rick et toi ?

— En un mot : rien, répondit-elle en haussant les épaules d'un air malheureux. Il souhaite connaître son enfant, ce qui, en soi, est une bonne surprise après ce qu'il m'avait dit voilà quelques mois, mais il n'envisage pas autre chose.

— Peut-être t'en veut-il simplement de ne pas lui avoir dit la vérité plus tôt. Donne-lui un peu de temps. Après tout, il est venu à Melbourne pour te voir.

— Non, il est venu pour son travail, rétorqua-t-elle.

— Mais rien ne l'obligeait à t'appeler... Est-ce que, par hasard, tu ne lui aurais pas annoncé notre mariage avant de lui laisser une chance de se déclarer ?

— Ça se pourrait, admit-elle en baissant la tête.

— Oh, Ida ! Si tu le repousses chaque fois qu'il fait un pas vers toi, comment peux-tu t'étonner qu'il garde ses distances ? Ne peux-tu imaginer qu'il t'aime, qu'il ait envie d'être avec toi ? Qu'il désire peut-être même t'épouser ?

— J'aimerais le croire, mais je ne peux pas. Je ne peux pas.

Il croyait connaître Ida mieux que personne, et pourtant jamais il n'avait lu un tel désarroi sur le visage de son amie, ni soupçonné qu'elle se mésestimait à ce point. Il pointa un doigt dans sa direction et dit d'un ton faussement accusateur :

— Tu nous as mis dans un beau pétrin cette fois, ma vieille.

Elle sourit faiblement.

Il se leva pour repousser dans le foyer une bûche qui menaçait de s'écrouler, puis se tourna vers elle.

— Si tu n'as pas l'intention de renouer avec Rick, que comptes-tu faire ?

— T'épouser, si tu veux encore de moi ? dit-elle d'une petite voix.

— Est-ce que c'est vraiment ce que tu souhaites ? Il y a une minute, tu me libérais de ma promesse.

— Je voulais te laisser le choix, expliqua-t-elle les larmes aux yeux. Parce que je suis complètement déboussolée. Je suis venue te demander de prendre une décision pour nous deux.

Elle se pencha en avant et prit sa main avant de poursuivre :

— Maeve dit qu'elle ne veut pas d'enfants. Alors, si tu veux encore te marier avec moi, je suis d'accord. Je ferai de mon mieux pour oublier Rick et te rendre heureux. Passé les premiers temps, quelle est la différence entre l'amour et une profonde amitié ?

— Pour l'amour de Dieu, Ida, quelle question ! Bien sûr qu'il y a une différence !

Cependant, parvenu à ce stade de son existence, que sacrifierait-il en épousant Ida ? Il aurait une compagne et un enfant, la famille qu'il avait toujours désirée. Bien sûr, il faudrait accepter l'intrusion de Rick de temps à autre, mais il pensait pouvoir s'en accommoder. Ida et lui reprendraient le cours des choses là où le temps s'était momentanément emballé. La fièvre de l'été s'évanouirait dans la fraîcheur d'un paisible automne. Personne ne saurait que, l'espace de quelques jours, il avait été transporté jusqu'au vertigineux sommet de l'amour. Et s'il regrettait de devoir renoncer à la passion, il savait que cela aurait été pire encore de ne jamais connaître la joie d'être père.

Il se glissa près d'Ida et posa la main à plat sur son ventre.

— Comment va-t-il ?

— Bien, répondit-elle en souriant. Et je n'ai même plus de nausées. Je sais que ce n'est pas juste, continua-t-elle, de te demander de décider à ma place, mais je ne sais plus du tout où j'en suis.

— Laisse-moi un peu de temps pour y penser.

— Merci. Je vais rentrer maintenant.

— Veux-tu dormir dans la chambre d'amis, cette nuit ? proposa-t-il comme elle se levait.

Elle refusa d'un signe de tête, et, après une imperceptible hésitation, ajouta :

— Rick pourrait appeler de San Diego demain matin.

— Ida... Conduis prudemment, dit-il simplement, ne se sentant plus la force de relever une nouvelle contradiction.

Il la raccompagna jusqu'à la porte et regarda les feux de sa voiture disparaître au bout de l'allée. S'il réussissait à chasser Maeve de ses pensées, il parviendrait à prendre la bonne décision concernant Ida.

La camionnette de McLeod était toujours stationnée devant l'entrée principale d'Aussie Electronique lorsqu'il arriva au bureau le lendemain matin. La vue des piquets de grève devant son usine le mit hors de lui. Jusqu'à ce qu'il se rappelle qu'il avait pris la décision de faire de son usine *leur* usine. Et ils avaient du pain sur la planche.

— Où étiez-vous passé, Beaumont ? l'apostropha McLeod. Les affaires marchent si bien que vous pouvez vous permettre de prendre des congés ? Pourquoi n'utilisez-vous pas vos bénéfices à créer des emplois plutôt qu'à ficher le camp à l'étranger ?

Comme Will s'avançait vers lui, les autres employés s'écartèrent, certains curieux de la confrontation qu'ils pressentaient, d'autres détournant le regard pour cacher leur embarras. A ceux-ci, il adressa une parole amicale au passage, feignant d'ignorer leur gêne :

— Bonjour, Tom. Rita. Salut, Noël, comment va le nouveau petit-fils ?

Puis son regard s'arrêta sur la mâchoire mal rasée de McLeod, descendit jusqu'à ses chaussures, qui n'avaient pas vu une boîte de cirage depuis des lustres, et remonta lentement.

— Les bénéfices ne sont pas aussi considérables que vous vous plaisez à l'imaginer, dit-il calmement.

— Foutaises ! lança McLeod avec un rire arrogant, cherchant du regard un soutien parmi ses partisans.

— Venez en juger par vous-même, répliqua Will. J'ai donné des instructions à mon comptable pour que vous puissiez consulter les livres.

— Vous les avez truqués, repartit McLeod d'un air méprisant.

Dédaignant la raillerie, Will se tourna vers les autres.

— J'offre aux employés d'Aussie la possibilité d'acquérir collectivement une participation majoritaire dans la société. Cet apport de capital sera suffisant pour maintenir à flot la société qui restera implantée ici, à Mornington.

— Où est l'arnaque ? cria quelqu'un.

S'efforçant de ne pas céder à l'irritation, Will enfonça les mains dans ses poches et poursuivit :

— Je resterai dans l'entreprise en tant que responsable de la recherche et du développement et Paul continuera de s'occuper de la comptabilité. Nous avons la volonté de sauver tous les emplois. Que tous ceux qui sont intéressés veuillent bien me suivre à l'intérieur afin de discuter plus en détail des modalités avec Paul et Art.

— Il cherche à nous rouler, dit McLeod comme plusieurs ouvriers avaient déjà baissé leurs pancartes. Toutes ces manœuvres ne visent qu'à nous faire reprendre le travail !

— Et alors ! C'est bien ce que nous voulions, non ? cria un autre en retour.

La journée s'écoula au rythme des négociations. Paul était venu de Melbourne afin de présenter au personnel un tableau clair et réaliste de la situation financière de la compagnie. Après avoir longuement débattu, parfois avec virulence, on demanda à Will de se retirer pour procéder au vote.

Avant de quitter la pièce, Will jeta un dernier coup d'œil en arrière. McLeod et Kitrick n'avaient pas assisté à la réunion et il s'en félicitait. Les autres, jusqu'à ce que les circonstances les acculent au pied du mur, s'étaient toujours montrés d'honnêtes ouvriers...

A l'avenir, il partagerait avec eux les succès et les revers d'Aussie, et, curieusement, cette pensée le consolait un peu. Ainsi, se répétait-il pour achever de se convaincre, il ne perdrait pas son entreprise, mais gagnerai une centaine d'associés.

Malgré cela, les vingt minutes durant lesquelles il arpenta le couloir désert lui semblèrent interminables. Pour que tout fonctionne comme prévu, il fallait que la décision soit votée à l'unanimité et que chacun accepte temporairement une baisse de salaire. Will, le premier, avait consenti à une réduction de vingt pour cent.

Debout devant une fenêtre, regardant sans les voir les chevaux dans leur enclos, il se demandait combien de temps il aurait encore à patienter lorsque Paul lui toucha l'épaule.

— Félicitations, vieux frère ! dit son ami en lui serrant la main. Notre proposition a été votée avec une majorité écrasante. Tes futurs associés ont quelques idées pour accroître la productivité et sont disposés à accepter une baisse de salaire de dix pour cent.

Si quelqu'un lui avait dit trois mois plus tôt qu'un jour il se réjouirait de vendre sa compagnie à ses salariés, il l'aurait pris pour un fou. Et pourtant, ce fut avec soulagement et reconnaissance qu'il serra la main de Paul.

— Merci pour ce que tu as fait.

Les acclamations et les applaudissements qui l'accueillirent dans la salle de réunion étaient porteurs de tous les espoirs. Désormais, il partageait le même destin que ces hommes et ces femmes et il en éprouvait une sorte d'exaltation. Finalement, il se dirigea vers Art, fidèle entre les fidèles. Le vieil homme lui serra longuement la main.

— Je suis fier de vous, Will. Vous avez pris une décision courageuse.

— J'espère que vous reprendrez votre place chez nous.

— Je ne l'ai jamais vraiment quittée, répondit Art avec un sourire en coin.

— Comment va Maeve ? reprit Will après une légère hésitation.

— Elle est en train de faire ses valises. Elle a décidé de partir un peu.

— Avec son ex-mari ? se résolut-il à demander bien que la réponse le terrifiât.

C'était irrationnel et totalement injuste, il le savait, mais l'idée qu'elle pût partager sa vie avec un autre lui était intolérable.

— Non, bien sûr que non ! Elle va chez son amie Rose à Emerald, elle dit qu'elle a besoin d'être seule quelques jours. Ou quelques semaines. Vous ne sauriez pas pourquoi, par hasard ? ajouta-t-il, l'œil perçant.

— Je suis désolé, Art, je ne peux pas en parler.

— Allez-vous essayer d'arranger les choses ?

— Si je pouvais, je le ferais, soyez-en sûr.

Art sembla réfléchir un moment, les yeux fixés sur le bout de ses chaussures, puis leva le nez et suggéra :

— Venez boire une bière à l'occasion.

— Merci, Art, je viendrai.


Le même soir, ayant garé sa camionnette à côté de la Mercedes de Will sur le parking qui surplombait la plage de Sorrento, Maeve parcourait le sentier de la falaise tout en scrutant les vagues en contrebas. Elle était d'abord allée chez lui, mais il n'y était pas, aussi était-elle partie à sa recherche. Elle tenait à lui dire combien sa décision de vendre Aussie Electronique au personnel lui avait fait plaisir et lui dire au revoir avant son départ pour Emerald. Et surtout, elle voulait le voir une dernière fois.

L'air était limpide après les pluies torrentielles, et elle repéra Will rapidement, au moment où il se lançait sur la crête d'une vague. Les muscles tendus, le corps en parfait équilibre, il filait sur l'eau, semblant à peine effleurer l'écume. Soudain il disparut à l'intérieur du rouleau, pivota pour repartir dans une longue glissade et revint en douceur jusqu'au rivage.

Une impatience incontrôlable s'empara de Maeve. Un moment, elle s'était efforcée de croire qu'un adieu silencieux suffirait, mais elle dévalait la pente à présent, comme si ses pieds s'étaient mis à avancer malgré elle, sur le sentier. Au bord de l'eau, Will, qui venait de descendre de sa planche, releva la tête. Elle lui fit un signe de la main.

Il ne répondit pas.

Lentement, elle laissa retomber son bras. Ainsi, il n'y aurait pas d'autres adieux. Luttant contre les violentes rafales de vent, elle regagna le parking. Tout à coup, elle était contente d'avoir décidé de partir chez Rose, de quitter la péninsule. A Emerald, elle ne risquait pas de le rencontrer au hasard d'une course au centre commercial ou de le croiser à un feu rouge. Elle ne pourrait pas hanter les endroits qu'il fréquentait dans l'espoir d'apercevoir, ne serait-ce qu'une fraction de seconde, l'homme qu'elle aimait.


Jusqu'à ce qu'il remarque Maeve sur le sentier, Will ne s'était pas senti trop mal. Il n'était encore parvenu à aucune conclusion probante concernant ses relations avec Ida, mais, pendant les quelques précieuses minutes durant lesquelles il avait filé sur l'eau, son esprit avait été miraculeusement dégagé de toute préoccupation.

L'apparition de Maeve avait ruiné ce précaire équilibre. De nouveau, des émotions intenses et contradictoires l'envahissaient. Les rêves inassouvis resurgissaient. Il rata les deux vagues suivantes. Repartant à l'assaut, il se lança deux secondes trop tard sur la troisième, et n'eut pas le temps de sortir du rouleau : un paquet d'eau s'écrasa sur lui, et, dans le remous, sa planche lui percuta violemment l'épaule. L'océan lui-même l'abandonnait.

Il rendit les armes au cinquième essai et, abattu, l'épaule et la nuque douloureuses, prit le chemin du retour. Faire l'amour avec Maeve avait marqué son avenir du sceau du doute. Rien ne s'arrangerait dans sa vie personnelle tant qu'il n'aurait pas réussi à voir clair en lui, à mettre à jour ses vrais désirs.

Une fois rentré, il lava sa planche au jet et rinça soigneusement sa combinaison de plongée tout en réfléchissant. Il voulait des enfants, c'était une chose. Mais savait-il exactement pourquoi ? Désirait-il un fils pour perpétuer son nom ? Son frère s'en était déjà chargé. D'ailleurs, en toute bonne foi, il ne pouvait pas prétendre que le fait d'avoir un petit Will junior marchant dans ses pas soit indispensable à son bonheur. Alors ? Voulait-il en quelque sorte réparer la perte qu'il avait subie dans son enfance ? Vain désir. Ou bien craignait-il de se retrouver seul plus tard ? Peut-être. Mais qui pouvait prédire le comportement futur desdits enfants ? De toute façon c'était une mauvaise raison.

Ayant suspendu sa combinaison sur le fil à linge, il regagna la maison en évitant de poser son regard sur la rocaille. La question d'Ida revenait le tourmenter. Quelle différence y avait-il entre l'amour et l'amitié ? En quoi épouser Ida serait-il mieux ou pire que d'épouser Maeve, la question des enfants mise à part ?... Il se changea, puis il chargea la vieille tondeuse à gazon dans le coffre de sa Mercedes et se rendit chez sa mère.

Il était en train de secouer la tondeuse afin de vérifier le niveau d'essence lorsque Grace pointa le nez sur le perron, une cigarette à la bouche.

— Où est Maeve ? s'enquit-elle inopinément.

— Je ne sais pas, fit-il laconique, tout en tirant sur le démarreur.

Un pathétique hoquet s'échappa du moteur.

— Celle de Maeve aurait démarré au quart de tour, dit Grace perfidement.

— Probable, maugréa-t-il en recommençant la manœuvre.

Aucun effet. Le moteur ne tressaillit même pas.

— Elle a vraiment fait un travail remarquable dans ton jardin, reprit Grace après avoir exhalé une longue bouffée de fumée.

— Je croyais que tu avais promis d'arrêter de fumer, dit-il, voyant clairement où sa mère voulait en venir et désireux de la faire changer de sujet.

— J'arrêterai quand tu seras papa.

— Au train où vont les choses, ça n'arrivera peut-être jamais.

Penché sur la tondeuse récalcitrante, Will essayait de comprendre pourquoi elle refusait de démarrer.

— Et Ida ? Est-ce que tu vas l'épouser ? continua Grace d'un ton faussement détaché.

— Je ne sais pas ! rugit-il, exaspéré par les questions de sa mère, et surtout par celles, trop nombreuses, qui le taraudaient et restaient désespérément sans réponse.

— Inutile de t'en prendre à moi. Tu t'es mis tout seul dans cet imbroglio. J'espère seulement que tu as tenu la promesse que tu m'as faite.

— Maman, je te jure que je ne ferai pas de mal à Ida.

— Je sais que tu ne blesserais pas Ida délibérément. Non, je faisais allusion à ta seconde promesse : d'être fidèle à toi-même.

Pour cela, il devait découvrir quelles étaient ses vraies aspirations. Longtemps, il avait cru que son plus grand rêve était de devenir père, mais depuis que Maeve était partie, il ne savait plus. Cependant, renoncer maintenant...

— J'ai toujours désiré avoir des enfants, dit-il, bien avant de désirer une femme.

— Will, regarde les choses en face, dit-elle en agitant sa cigarette sous son nez. Tu ne désires pas *une* femme, tu désires Maeve.

Il se crispa, prêt à répliquer méchamment. Puis il reconnut la compassion dans le regard de sa mère et son irritation s'évanouit.

— Sa petite fille est morte subitement quand elle était encore bébé. Elle ne veut pas d'autres enfants. Que puis-je faire ? demanda-t-il, laissant cette fois paraître son découragement.

— Tu pourrais commencer par lui parler. As-tu jamais entendu dire que l'amour peut soigner les plus grandes souffrances ?

— Ce sont des mots. Ça n'a pas de sens.

— Es-tu en train de dire que ce que tu ressens pour elle n'a pas de sens ?

Il garda le silence, puis se pencha de nouveau sur la tondeuse qui, avec force crachotements, daigna enfin démarrer.

Le soleil était déjà bas sur l'horizon quand Will arriva chez lui. Il rangea la tondeuse et, se sentant trop agité pour rentrer, fit un tour dans le jardin qui baignait dans une lumière dorée. Ses pas le conduisirent insensiblement jusqu'à la maisonnette de Maeve, à présent complètement dissimulée sous le jasmin.

Il hésita un instant, puis s'accroupit et rampa à l'intérieur. Le sol était sec. Contre un des murs, Maeve avait placé un petit banc de bois. Il s'assit et se laissa imprégner de l'atmosphère particulière du lieu. Un peu comme celle d'une église. La lumière tremblait, filtrée par le feuillage du jasmin. Un parfum, capiteux et suave à la fois, faisait palpiter ses narines. Et soudain, comme sous l'effet d'un charme secret, il fut transporté en arrière, au temps béni de son enfance. Son père était là. Non plus les horribles jours, ni les semaines de solitude qui suivirent la mort de William senior, mais l'amour profond que son père lui portait, en dépit ou peut-être à cause de sa fragilité. Sans doute n'avait-il pas pu partager ses jeux de ballon, mais il avait toujours pris le temps de l'écouter et de lui faire sentir que ses pensées et ses sentiments avaient de l'importance pour lui. Et il avait toujours montré la plus grande confiance dans ses capacités.

C'était cet amour inconditionnel que Will voulait donner à ses enfants. Cet amour profond et pur, comme un héritage. Cela sonnait bien. Juste.

Dans ce cas, épouser Ida et fonder une famille devait être la bonne décision. Will attendit que le déclic se produisît dans son esprit, pour confirmer la pertinence de cette conclusion... En vain.

Mon Dieu, que tout cela était donc difficile ! Sa vie jusqu'ici avait été relativement simple ; il avait suivi un chemin pavé de raisonnements logiques et de réflexions pragmatiques. Jamais il n'avait eu à débrouiller un tel écheveau d'émotions. Ida et lui partageaient les mêmes valeurs, étaient issus du même milieu, ce qui, au dire de certains, constituait des bases solides pour construire un amour durable, ou, dans leur cas, une longue amitié. Cependant, Maeve avait su pénétrer ses inquiétudes les plus enfouies, ses désirs les plus profonds. Des sentiments dont même Ida, après tant d'années, ne soupçonnait pas l'existence. Pouvait-on les mettre en balance contre la logique et la raison ?

Faisant taire son tumulte intérieur, il promena un

regard absent sur le toit de feuillage, se laissa imprégner de la dernière chaleur du couchant et des fragrances mêlées des fleurs et de la terre.

D'où venait cette perception intime que Maeve avait de lui ? Ni de l'expérience, ni du savoir. Etait-ce de l'intuition ? En partie peut-être, mais il y avait plus que cela. Entre elle et lui dansait une étincelle qu'il n'aurait pas pu définir. Il avait pourtant la certitude qu'un léger souffle pouvait suffire à l'embraser. Une flamme claire s'élèverait alors, éclairant leur chemin, contre vents et marées, tout au long de leur vie.

Enfin il tenait la clé du mystère : l'étincelle, la flamme, c'était l'amour.

Heureux soient ceux qui trouvaient l'amour. Bénie soit la plénitude qui l'avait envahi aux côtés de Maeve.

Une énergie inconnue s'empara de lui. Avec une conscience aiguë, il était en train de découvrir, au tréfonds de son être, une dimension qui ouvrait les portes d'un nouveau monde. Des larmes coulèrent sur ses joues. La confusion de son esprit s'était enfin tue. Aux émotions ravageuses qui avaient déchiré son cœur avait succédé la sérénité d'un sentiment intense et pur : son amour pour Maeve.

Il serait toujours là pour Ida et son enfant, mais Maeve était la femme avec qui il voulait, de toute son âme, partager sa vie.

Il comprenait maintenant que l'amour ne pouvait s'épanouir que si l'on acceptait d'extérioriser ses émotions. A les contenir, on finissait par ne plus reconnaître ses propres sentiments. Le dernier petit nœud de tristesse, noué dans son enfance, se délia puis sembla se dissoudre. Désormais, il lui était permis d'aimer sans craindre.

**

— Ida ? dit Will en passant la tête dans le bureau de son amie, le lendemain matin, un peu avant le déjeuner. Tu viens faire une petite balade dans le parc avec moi ?

Dix minutes plus tard, ils étaient tous deux assis sur un banc face à la marina et Will était en train de lui expliquer la nature unique et singulière de l'amour.

— Les nouveaux convertis font les plus ardents adeptes, remarqua Ida lorsqu'il eut terminé en lui donnant une tape amicale sur la main.

— Mais tu comprends pourquoi nous ne pouvons pas nous marier ? demanda-t-il, anxieux à l'idée qu'il pût la blesser. L'amour est un don si précieux. On ne peut raisonnablement pas fonder un mariage sur un autre sentiment, quand bien même il s'agirait de la plus sincère des amitiés. Ce ne serait juste ni pour l'un ni pour l'autre. Rick n'est peut-être pas celui que tu attends, mais un jour...

— D'accord, Will, le coupa-t-elle. Je suis contente que tu aies pris cette décision. J'étais trop lâche pour regarder les choses en face, mais je sais que tu as raison.

— Tu sais aussi que toi et le bébé, vous pourrez toujours compter sur moi, n'est-ce pas ?

— Accepteras-tu d'être son parrain ?

— Avec un immense plaisir !

Ida caressa du regard son ventre proéminent et demanda après une hésitation :

— Crois-tu qu'il y ait une chance pour que Rick veuille de moi si je lui dis que nous avons rompu nos fiançailles ?

— Il n'y a qu'une façon de le savoir, Ida. Ouvre-lui ton cœur, dis-lui que tu l'aimes. Tu seras surprise du bien que cela fait.

— Tu es sûr que ça va aller pour toi, Will ? demanda-t-elle d'une voix inquiète. Tu avais tant envie d'une famille...

— Je ne sais pas, dit-il en étouffant un soupir. C'est une question dont Maeve et moi devrons discuter. Mais, maintenant que j'ai compris que l'amour était une solution et non un problème, tout me semble possible. Je vais aller la retrouver et lui parler.

Il saisit la main d'Ida, ouvrit doucement son poing fermé et calqua ses doigts sur les siens comme ils le faisaient enfants en signe de complicité.

— Amis pour toujours ?

Elle eut un sourire radieux.

— Amis pour toujours.

# 15.

— Ba, be, ba.

— C'est l'heure du bain, Kristy ! annonça Maeve au bébé aux joues rondes qui gazouillait dans sa chaise haute.

En entendant sa mère agiter l'eau dans la baignoire de plastique bleue, posée sur le comptoir de la cuisine à proximité de l'évier, Kristy s'était mise à taper son gobelet sur sa tablette.

Dans le rêve de Maeve, le comptoir se trouvait dans la cuisine de Will à Sorrento, mais elle ne vit là aucune étrangeté.

Elle extirpa Kristy de sa chaise et la porta sur le petit matelas où elle eut tôt fait de lui enlever son pyjama et sa couche. Puis, tenant d'une main le bébé gigotant, elle testa de nouveau la température de l'eau de son coude replié.

— Allez, on y va.

Kristy battit des pieds en riant. Maeve la fit glisser doucement dans le bain, tout en aspergeant d'eau tiède la nuque et le ventre rebondi de l'enfant. Kristy se trémoussait, parfaitement à l'aise. Puis son petit poing potelé se détendit pour attraper une mèche des cheveux de Maeve et tira. Un moment, leurs deux visages se touchant

263

presque, elles se regardèrent, comme absorbées l'une par l'autre. Maeve sentit son cœur déborder d'amour.

Et soudain, en l'espace d'une seconde, tout changea. Les yeux de Kristy ne riaient plus, sa main avait abandonné mollement sa prise, la cuisine avait disparu... Maeve était dans la petite chambre rose. Elle s'approchait du berceau, terrifiée. Elle ne voulait pas regarder. « Non, s'il vous plaît, non. » Le petit visage livide portait d'affreuses marbrures bleues. Elle soulevait l'enfant, mais le petit corps était froid et sans vie...

— Non ! hurla Maeve, émergeant de son cauchemar en sueur, le cœur battant violemment dans sa poitrine.

Elle s'assit brusquement dans le lit étroit de la chambre d'amis de Rose et laissa tomber sa tête dans ses mains en sanglotant. « Kristy, ma fille. Mon bébé. » Elle aurait voulu être morte.

Le cauchemar la poursuivit toute la matinée. Essayant de distraire ses sombres pensées, elle s'occupait à choisir parmi les plantations de Rose les herbes aromatiques venues à maturité pour les mettre en pots en prévision du marché du dimanche. Tout à coup, elle laissa échapper un pot qui s'écrasa au sol avec un bruit mat. Le visage de Kristy, rose et heureux, était réapparu devant ses yeux et l'insoutenable transformation avait recommencé. Tombant à genoux, elle serra ses bras autour d'elle et fut submergée par une crise de larmes.

La trouvant ainsi quelques minutes plus tard, Rose s'accroupit et la tint blottie contre elle. Maeve, par bribes, finit par lui conter son rêve.

— Dans les tarots, la Mort n'annonce pas un événement tragique, mais préfigure un grand changement dans l'existence, dit Rose d'une voix douce. Et certains changements peuvent être très difficiles à vivre, particulièrement lorsqu'on s'accroche au passé et qu'on redoute l'avenir.

Maeve secoua la tête sans rien dire. Elle était trop bouleversée pour parler, et puis, Rose se trompait. Elle n'avait pas peur, elle souffrait de la perte de son enfant bien-aimée.

Trois heures plus tard, toujours enfermée dans son chagrin, Maeve buvait un thé à la menthe sous la véranda, portant un regard vague sur les pentes verdoyantes de la colline. Au loin, une tache claire disparaissait et réapparaissait au gré des lacets de la route qui ondulait entre les vignes et les prés.

Lorsque la voiture s'engagea dans l'allée du chalet, Maeve reconnut immédiatement la couleur gris perle de la Mercedes de Will. Son cœur fit un bond dans sa poitrine. Inutile de se demander comment il s'était procuré l'adresse de Rose. Art aurait décroché la lune pour lui s'il l'avait pu.

Son premier mouvement fut de courir se réfugier à l'intérieur, pour fuir des sentiments qu'elle ne se sentait pas capable d'affronter. Mais, déjà, il était trop tard. Will avait coupé le moteur et sortait de la Mercedes. La vue de sa silhouette familière fit naître en elle une impulsion toute différente. Elle eut soudain envie de courir vers lui et de se jeter dans ses bras.

Cependant, elle n'en fit rien. Debout, raide et droite, elle le regarda gravir le sentier. Il s'arrêta au pied des marches de la véranda.

— Bonjour, Maeve.

— Tu aurais dû appeler.

— Tu as quitté la ville précipitamment... Je voulais m'assurer que tu allais bien.

On eût dit un dialogue de sourds. Désirait-il s'entendre dire qu'il n'était pour rien dans son départ soudain ? C'était typiquement masculin, songeait-elle avec amertume, il voulait repartir débarrassé de toute responsabilité, sans un mot de regret.

S'efforçant de ne pas laisser paraître la peine que son attitude sur la plage de Sorrento lui avait causée, elle répondit d'un ton presque dégagé :

— Je vais très bien. Je suis venue passer des vacances à la montagne.

— Combien de temps comptes-tu rester ? demanda-t-il en posant un pied sur la première marche.

Maeve nota son mouvement et fut en même temps frappée par l'étrange calme qui émanait de lui. Mais elle n'eut pas le courage de s'interroger plus avant.

— Deux semaines, trois peut-être. Je donne un coup de main à Rose dans les serres.

— Et ton expérience ? Tu l'as abandonnée ?

Après tout le mal qu'il s'était donné pour améliorer le panneau solaire, il était probablement en droit de poser la question, seulement elle répugnait à avouer ce qu'elle avait fait de son projet.

— Non, répondit-elle enfin. J'en ai confié la surveillance à Art. Je lui avais laissé mes indications par écrit, mais... il a oublié d'ajouter les nutriments à la solution hydroponique et tous les résultats de la semaine sont faussés. J'ai l'intention de tout recommencer à zéro à mon retour.

— Sauf que la saison sera plus avancée et que tu n'auras plus la même lumière.

— C'est vrai. Mais qu'y puis-je ?

Un silence se fit. Que Will rompit, finalement.

— J'aurais dû te parler, ce jour-là sur la plage. Tu m'as manqué.

Maeve sentit faiblir ses résolutions. Son cœur ne demandait qu'à oublier, à pardonner. Puis le souvenir de Kristy s'interposa. C'était mieux ainsi. Il devait comprendre qu'ils n'avaient pas d'avenir ensemble. Ida lui donnerait ce qu'il désirait, et si ce n'était pas elle, ce serait quelqu'un d'autre.

— Comme c'est délicat de ta part de le reconnaître, rétorqua-t-elle, se réfugiant dans le sarcasme.

— Est-ce qu'on peut parler sérieusement ? demanda-t-il avec un petit sourire, visiblement décidé à ne pas se laisser froisser par son agressivité. Je comprends mieux certaines choses à présent.

— Franchement, je ne vois pas...

— Je ne vais pas épouser Ida, dit-il en la coupant.

— Oh !

— Je t'aime, Maeve, murmura-t-il en plongeant ses yeux bleus dans les siens.

Elle dut détourner le visage afin de dissimuler le violent désir qu'elle avait de lui. Les circonstances avaient peut-être changé, mais son cœur souffrait trop pour qu'elle pût l'écouter davantage.

En retenant avec peine ses larmes, elle lui expliqua doucement mais fermement qu'il ne devait rien attendre d'elle. Un jour, il tomberait amoureux d'une femme qui lui donnerait des enfants. Mais elle était contente qu'il ait renoncé à épouser Ida, car elle aurait ainsi une chance de retrouver Rick.

— Alors c'est non ? Tu me dis « non » comme ça ? demanda-t-il d'un air plus incrédule que fâché.

— Comme ça, confirma-t-elle sans ambages, décidant qu'il valait mieux, dans leur intérêt à tous deux, couper définitivement les ponts.

Il tourna les talons et rejoignit sa voiture.

— Nous en reparlerons quand tu rentreras. J'attendrai, ajouta-t-il avant d'ouvrir sa portière.

Quelle prétention ! Il se comportait comme s'ils étaient déjà mariés, comme si elle avait déjà capitulé.

Sauf qu'elle n'avait pas perçu la plus petite trace d'arrogance dans sa voix... seulement une étrange confiance et une tendresse infinie.

Il était parti. Pourtant il n'épousait pas Ida. C'était difficile à concevoir.

— J'ai refait un peu de thé, annonça Rose d'une voix enjouée, apparaissant avec un plateau.

Elle s'aperçut alors que la voiture de Will avait disparu, et demanda sur un ton empreint de sollicitude :

— Que lui as-tu dit pour qu'il s'enfuie aussi vite ?

— La vérité, répondit Maeve en se servant une nouvelle tasse. Je ne suis pas malade, Rose. Tu n'as pas besoin d'être aux petits soins pour moi.

— Ton cœur est malade, répliqua Rose avec douceur avant de s'éclipser à pas feutrés.

Ce n'était que trop vrai. Malheureusement, tous les thés à la menthe, toutes les attentions du monde ne sauraient réparer un cœur brisé.

Quelques jours plus tard, ayant recouvré un semblant de paix, Maeve trouva la force de téléphoner à son père. Il décrocha à la troisième sonnerie.

— Bonjour, papa. Comment vas-tu ? demanda-t-elle d'un ton délibérément gai.

— Qu'est-ce qui ne va pas ? repartit Art immédiatement. Tu as une drôle de voix.

Maeve réprima un soupir. Elle aurait dû savoir que son père ne serait pas dupe.

— Je vais bien. Et toi ? Comment cela se passe-t-il à l'usine ? demanda-t-elle, réalisant tout à coup qu'elle n'avait même pas posé la question à Will.

— Les problèmes ne sont pas encore derrière nous, mais tout le monde œuvre dans la bonne direction, dit-il. Will semble aller beaucoup mieux lui aussi. Je l'ai trouvé différent ces derniers jours.

— Comment ça ?

N'était-il pas ridicule de sa part, voire honteux, d'éprouver un tel plaisir à entendre parler de lui ? Ne lui avait-elle pas tourné le dos, brutalement et définitivement ?

— Je ne sais pas trop. Quelque chose a changé dans son regard. Comme s'il était apaisé, plus confiant aussi.

— J'ai appris qu'il n'allait pas se marier en définitive, hasarda-t-elle.

— En effet. J'ai entendu dire ça aussi. Il a peut-être changé d'avis.

— Papa... sérieusement.

— Ou alors, il t'attend.

— Est-ce qu'il a dit quelque chose ?

— Non. Mais il est venu avec un camion de l'usine et a emporté le panneau solaire, la miniserre...

— Quoi ?

— J'ai essayé de l'en empêcher. Sincèrement, chérie, j'ai essayé. Mais il n'arrêtait pas de marmonner que tu n'avais pas travaillé avec tant d'acharnement jusqu'ici pour tout laisser tomber maintenant.

Maeve aurait voulu se sentir indignée, mais elle n'arrivait pas à éprouver autre chose envers Will que de la gratitude : il avait décidé de sauver son expérience et, à n'en pas douter, ses plantes étaient entre de bonnes mains.

— Quand reviens-tu ? reprit Art.

— Je ne sais pas, répondit-elle évasivement luttant contre une envie irrépressible de partir sur-le-champ.

Durant les semaines qui suivirent la visite de Will au chalet de Rose, Maeve fit des allers et retours presque quotidiens sur la péninsule pour surveiller ses chantiers en cours. A deux reprises, elle était passée devant la maison de Will, torturée par l'espoir et la crainte de le rencontrer. L'oublier s'avérait plus difficile encore qu'elle ne l'avait imaginé.

Un jour, elle fit un saut au bureau d'Ida et réussit à la décider d'aller déjeuner avec elle. Maeve s'inquiétait de l'état d'esprit de la jeune femme et, même si elle ne se l'avouait qu'à moitié, elle voulait savoir comment se déroulait sa grossesse.

— C'est pour le bébé, dit-elle en lui tendant un paquet joliment emballé d'un papier rouge et jaune.

Elle n'avait pas eu l'intention de se rendre à la boutique pour enfants, mais celle-ci se trouvait à deux pas du grand magasin où elle s'était arrêtée pour faire une course et...

Elle avait parcouru les allées, caressant ici une couverture moelleuse, inspectant là un nouveau modèle de poussette et, avant de comprendre ce qui lui arrivait, elle s'était retrouvée rêvant devant un couffin d'osier à un bébé aux joues roses et aux cheveux noirs. Curieusement, l'enfant n'avait pas les yeux sombres de Kristy, mais des yeux bleu vif pailletés d'or.

— Puis-je vous aider? avait proposé la vendeuse tout en jetant un œil professionnel mais discret sur son ventre plat.

— Je... je ne suis pas enceinte, avait-elle bégayé en revenant brusquement à la réalité. Je cherche un cadeau pour une amie. Je n'ai pas d'enfants moi-même, avait-elle ajouté sans trop savoir pourquoi, et je n'en désire pas.

Après un bref regard étonné, la jeune femme l'avait renseignée avant de disparaître à l'autre bout du rayon.

— Peut-être trouverez-vous quelque chose au rayon jouets, avait-elle dit en montrant des étagères chargées de peluches et de babioles colorées.

Et voilà qu'Ida était en train de déchirer l'emballage et riait en découvrant le dragon vert et violet.

— Il est magnifique ! Merci beaucoup.

— Les nounours m'ont toujours semblé un peu mièvres, expliqua Maeve qui, en fait, les avait trouvés intolérablement adorables. A combien en êtes-vous ? Quatre mois ?

— Quatre mois, une semaine et trois jours, annonça fièrement Ida. Je suis terriblement impatiente. J'ai déjà accumulé plus de petits vêtements que vous ne pourriez l'imaginer.

Se remémorant la joie et l'excitation qu'elle-même avait ressenties à la naissance de Kristy, Maeve fut traversée d'un frisson d'envie. Pourrait-elle vraiment se résigner à ne jamais revivre la merveilleuse expérience de la maternité ? Se raidissant, elle essaya de se souvenir des douloureux sentiments que son cauchemar avait éveillés, mais ils s'étaient évanouis.

— Will m'a dit que vous aviez décidé de ne pas vous marier, dit-elle, scrutant le visage d'Ida à l'affût de sa réaction.

— Ce n'était pas une très bonne idée, je crois, répondit Ida d'un air penaud. En fait, j'accepte très bien maintenant la perspective d'élever mon bébé toute seule. Après tout, c'est ce que j'avais projeté avant que Will ne parvienne à me convaincre qu'un enfant avait besoin d'un père.

— Rick n'a-t-il pas une place dans votre vie ?

Ida piqua une feuille de salade dans son assiette, hésita, puis avoua d'un ton morose :

— Il m'a demandé de venir vivre à San Diego.

— Ida ! C'est une nouvelle fantastique !

— Si j'y allais, fit Ida en haussant les épaules, nous devrions nous marier rapidement pour régulariser ma situation dans le pays. Je ne veux pas qu'il se sente obligé...

— Attendez, la coupa Maeve. Rick est-il le genre d'homme à se laisser imposer des décisions contre sa volonté ?

— Je ne crois pas.

— Alors ? Il ne vous aurait certainement pas proposé de le rejoindre s'il ne le souhaitait pas. Vous allez accepter, n'est-ce pas ?

— Oh, Maeve, j'en meurs d'envie, dit Ida d'une voix tremblante. Il a l'air de vraiment tenir à l'enfant malgré ce qu'il avait dit autrefois.

— Il vous aime, et l'amour est capable de bouleverser notre perception de la vie.

Pour rentrer à Emerald, Maeve emprunta ce jour-là, sans même s'en rendre compte, une route qu'elle évitait soigneusement d'ordinaire parce qu'elle passait devant le Frankston Memorial Park. Elle avait coupé dans son jardin un bouquet de roses blanches à l'intention de son amie, mais elle était sûre que Rose ne lui en voudrait pas si, au lieu de les lui offrir, elle les apportait à Kristy.

A pas lents, elle traversa le cimetière, lisant au hasard les dates et les noms à jamais figés dans la pierre, infimes traces d'êtres chéris de leurs familles et de leurs amis. Devant la tombe de son enfant, les larmes lui vinrent aux yeux : elle y avait fait graver deux vers d'un poème de Tennyson qui évoquaient les jours heureux pour toujours enfuis. Cinq ans plus tôt, ils avaient exprimé le chagrin et la douleur immenses qui l'anéantissaient, mais aujourd'hui, ils paraissaient trop tristes pour la petite fille rayonnante que Kristy avait été. Elle se prit à regretter de n'avoir pas préféré quelque chose de plus gai qui aurait consolé Kristy dans l'éternité. Elle s'assit dans l'herbe un moment, se souvenant de tous les heureux moments qu'elles avaient passés ensemble, de toutes les joies que Kristy lui avait apportées, et elle sourit au milieu de ses larmes. Puis elle posa les fleurs blanches sur la tombe engazonnée.

— Au revoir, ma chérie. A bientôt.

Cette nuit-là, Maeve, accoudée à la balustrade de la véranda, assista au lever de la lune sur la vallée. Elle était pleine de nouveau. Un mois s'était écoulé depuis que Will et elle avaient fait l'amour dans sa clarté argentée. En se dressant sur la pointe des pieds, elle pouvait même apercevoir la courbe scintillante de la baie, à des kilomètres, en direction de l'est.

Will contemplait-il la voûte étoilée à cet instant ? Etait-ce son amour pour lui ou un effet de la pleine lune qui la faisait vibrer si intensément cette nuit ? Allait-elle passer le reste de sa vie à se languir de lui ou trouverait-elle le courage de se libérer du passé ?

Sans prendre le temps de réfléchir aux émotions qui l'animaient, ni à ce qu'elle lui dirait lorsqu'elle arriverait à Sorrento, Maeve enfila rapidement un gilet et une paire de sandales, laissa en évidence sur la table de la cuisine deux lignes pour Rose qui s'était couchée tôt, et quitta silencieusement le chalet.

La route de la vallée était déserte à cette heure-là. Dans la nuit, les phares de la camionnette semblaient avaler le ruban sombre de la chaussée, surprenant, au détour d'un lacet, l'éclat ambré des yeux d'un animal soudain figé au milieu des fourrés. Vingt minutes plus tard, elle avait laissé derrière elle la route sinueuse et traversait les pâturages endormis. Elle pesta en voyant s'abaisser la barrière d'un passage à niveau puis dut ralentir en atteignant les premiers villages. Les lumières de quelques pubs encore ouverts clignotaient.

Will serait-il chez lui ? Comment l'accueillerait-il après

la manière dont elle l'avait traité ? Seraient-ils capables de trouver un terrain d'entente ?

A mesure que les kilomètres défilaient et qu'elle approchait de son but, les questions se bousculaient dans sa tête. Pourtant, au-delà des interrogations et des craintes, au plus profond de son âme, s'imposait une certitude : quelles que soient les surprises que l'avenir lui réservait, elle voulait passer sa vie aux côtés de Will.

Lorsque, enfin, elle tourna dans l'allée de la maison de Will, son cœur se mit à battre à coups redoublés. La demeure était plongée dans l'obscurité, à l'exception d'une faible lueur du côté de la cuisine. Elle se tint immobile un moment, regardant la lune qui était parvenue à son zénith. La nuit était plus avancée qu'elle ne l'avait imaginé. Devait-elle rebrousser chemin, aller dormir à Mount Eliza et revenir le lendemain matin ?

— Maeve, dit une voix basse derrière elle.

— Will ? Où es-tu ? chuchota-t-elle, sentant le sang courir dans ses veines.

— Ici, près du tourniquet.

Elle le découvrit alors, tapi dans l'ombre, sa chemisette claire contrastant avec son visage hâlé.

— Que fais-tu dehors à cette heure ? demanda-t-elle en le rejoignant.

— Je contemplais la lune. En t'attendant.

Les mains négligemment glissées dans les poches de son short, il se tenait appuyé contre le tourniquet comme s'il avait passé là toutes ses nuits depuis des semaines.

— Tu savais que je viendrais..., murmura-t-elle, fascinée par son sourire énigmatique.

Et soudain, elle eut une irrésistible envie de voir les fossettes de ses joues.

— Excusez-moi, monsieur, faut-il s'acquitter d'une taxe pour emprunter ce passage ?

Un charmant petit creux apparut sur sa joue droite tandis qu'il maintenait ouvert le battant du tourniquet afin qu'elle pût se glisser à l'intérieur avec lui. Répondant à son invitation muette, elle s'avança, frémissante. Ils étaient à présent si proches l'un de l'autre que sa robe effleurait les jambes de Will.

— Pour sûr qu'il y a une taxe, répondit-il d'une voix sourde.

— Quel en est le prix ? demanda-t-elle, levant son visage, lèvres offertes.

Mais, contre toute attente, il ne l'embrassa pas. D'un doigt léger, il suivit la courbe de sa bouche, les yeux plongés dans les siens. Elle frissonna, résistant au désir de se laisser aller contre lui.

— Parle-moi, lui dit-il.

— Que veux-tu savoir exactement ?

Sans la quitter des yeux une seconde, il attrapa sa tresse et se mit à jouer avec le petit pinceau soyeux de son extrémité.

— Pourquoi es-tu venue ce soir ?

— Je t'aime. Je veux être près de toi, répondit-elle simplement.

Il eut une expression pensive, puis demanda doucement :

— Crois-tu pouvoir envisager d'avoir des enfants un jour, même si ce n'est pas dans un avenir proche ?

— Je ne sais pas...

Pas un instant elle n'avait songé à dire autre chose que la stricte vérité ; Will méritait qu'elle soit honnête avec lui. Pendant un moment qui lui parut interminable, il resta silencieux. Enfin, un sourire s'épanouit sur son visage.

— Eh bien, je crois pouvoir considérer ta réponse comme un encouragement, dit-il en l'attirant vers lui.

Nouant les bras autour de sa taille, il resserra son

étreinte jusqu'à ce que leurs deux cœurs battent l'un contre l'autre. Elle enfouit la tête dans son cou, se grisant du parfum retrouvé de sa peau. Une vague de chaleur naquit au creux de son ventre lorsqu'elle sentit ses hanches se presser contre les siennes. Puis, lentement, il s'empara de ses lèvres et l'entraîna dans un baiser passionné.

— J'ai envie de toi, chuchota-t-elle comme il reprenait brièvement son souffle.

— C'est un bon début, observa-t-il d'une voix rauque en s'écartant légèrement. As-tu idée de l'effet que me fait la pleine lune ?

— Je crois deviner, répondit-elle, espiègle.

— Voyons, ne sois pas si triviale. Je me sens singulièrement romantique, ce soir. Tu sais, j'aurai toujours envie d'avoir des enfants, poursuivit-il d'un ton plus grave, mais il y a quelque chose que je désire plus encore. Maeve, me feras-tu l'honneur d'accepter de devenir mon épouse ?

Elle leva les yeux vers le ciel étoilé, comme pour remercier une puissance supérieure, puis son regard revint à Will. Il pouvait bien prononcer la formule traditionnelle avec toute la cérémonie voulue, il n'en avait pas moins les cheveux en bataille et l'expression sauvage du petit garçon qui vivait encore au fond de lui.

— Oui, dit-elle, comblée.

Il n'avait pas tenté de faire pression sur elle et elle l'en aimait encore davantage. Dans le fond de son cœur, elle savait déjà qu'elle porterait un jour les enfants de Will et cette pensée secrète la remplissait de joie.

Il la prit par la main et libéra le battant du tourniquet.

— Entre dans mon jardin. C'est un endroit très spécial.

Chère lectrice,

Vous nous êtes fidèle depuis longtemps?
Vous venez de faire notre connaissance?

C'est pour votre plaisir que nous avons
imaginé un rendez-vous chaque mois
avec vos auteurs préférés, vos
AUTEURS VEDETTE dans les
collections Azur et Horizon.

Les AUTEURS VEDETTE vous
donneront rendez-vous pour de
nouveaux livres vedette.

Pour les reconnaître, cherchez
l'étoile ... Elle vous guidera!

Éditions Harlequin

**HARLEQUIN**

*LE FORUM DES LECTEURS ET LECTRICES*

CHERS(ES) LECTEURS ET LECTRICES,

VOUS NOUS ETES FIDÈLES DEPUIS LONGTEMPS?

VOUS VENEZ DE FAIRE NOTRE CONNAISSANCE?

SI VOUS AVEZ DES COMMENTAIRES, DES CRITIQUES À
FORMULER, DES SUGGESTIONS À OFFRIR, N'HÉSITEZ
PAS... ÉCRIVEZ-NOUS À:

      LES ENTREPRISES HARLEQUIN LTÉE.
      498 RUE ODILE
      FABREVILLE, LAVAL, QUÉBEC.
      H7R 5X1

C'EST AVEC VOS PRÉCIEUX COMMENTAIRES QUE NOUS
ALLONS POUVOIR MIEUX VOUS SERVIR.

DE PLUS, SI VOUS DÉSIREZ RECEVOIR UNE OU
PLUSIEURS DE VOS SÉRIES HARLEQUIN PRÉFÉRÉE(S)
À VOTRE DOMICILE, NE TARDEZ PAS À CONTACTER LE
SERVICE D'ABONNEMENT; EN APPELANT AU
(514) 875-4444 (RÉGION DE MONTRÉAL) OU 1-800-667-4444
(EXTÉRIEUR DE MONTRÉAL) OU TÉLÉCOPIEUR
(514) 523-4444 OU COURRIER ELECTRONIQUE:
AQCOURRIER@ABONNEMENT.QC.CA OU EN ÉCRIVANT À:

      ABONNEMENT QUÉBEC
      525 RUE LOUIS-PASTEUR
      BOUCHERVILLE, QUÉBEC
      J4B 8E7

MERCI, À L'AVANCE, DE VOTRE COOPÉRATION.

BONNE LECTURE.

HARLEQUIN.

*VOTRE PASSEPORT POUR LE MONDE DE L'AMOUR.*

# ROUGE PASSION

### De fiévreuses histoires d'amour sensuelles!

De provocantes histoires d'amour passionnées et romantiques qu'on lit d'une seule traite. Aventureuses, parfois humoristiques, et sensuelles, elles mettent en vedette des hommes et des femmes d'aujourd'hui.

**ROUGE PASSION...quatre nouveaux titres chaque mois.**

# COLLECTION
# HORIZON

Des histoires d'amour romantiques qui
vous mènent au bout du monde!

Découvrez la passion et les vives
émotions qu'apportent à la Collection
Horizon des auteurs de renommée
internationale!

Captivantes, voire irrésistibles, ces
histoires d'amour vous iront
assurément droit au coeur.

Surveillez nos quatre nouveaux titres
chaque mois!

GEN-H

## La COLLECTION AZUR

Offre une lecture rapide et

- stimulante
- poignante
- exotique
- contemporaine
- romantique
- passionnée
- sensationnelle!

COLLECTION AZUR...des histoires d'amour traditionnelles qui vous mènent au bout du monde! Six nouveaux titres chaque mois.

GEH-AZ

# HARLEQUIN

# COLLECTION
# ROUGE PASSION

- Des héroïnes émancipées.
- Des héros qui savent aimer.
- Des situations modernes et réalistes.
- Des histoires d'amour sensuelles et provocantes.

**LAISSEZ-VOUS TENTER**
**par 4 titres irrésistibles**
**chaque mois.**

Composé sur le serveur d'EURONUMÉRIQUE, à MONTROUGE
PAR LES ÉDITIONS HARLEQUIN
Achevé d'imprimer en avril 2002

**BUSSIÈRE**

GROUPE CPI
à Saint-Amand-Montrond (Cher)
Dépôt légal : mai 2002
N° d'imprimeur : 21504 — N° d'éditeur : 9283

*Imprimé en France*